LE NOUVEAU BESCHERELLE

l'art de conjuguer

DICTIONNAIRE
DES HUIT MILLE VERBES USUELS

**NOUVELLE EDITION
ENTIEREMENT REMISE A JOUR**

© Hatier - Paris 1966
ISBN 2 - 218 - 00027 - X

LIBRAIRIE HATIER - 8 RUE D'ASSAS - PARIS-6e

VENTE INTERDITE AU CANADA

AVERTISSEMENT

Aujourd'hui, peut-être encore plus qu'hier, la conjugaison des verbes reste la principale difficulté de notre langue. Or sur ce point les manuels de grammaire et les dictionnaires se révèlent dans la pratique ou insuffisants ou trop compliqués. Précisément l'objet de ce livre est de parer le plus commodément possible aux défaillances de la mémoire ou aux hésitations de l'usage. Le succès qu'il a rencontré nous avait déjà encouragé à améliorer sa présentation et, par le jeu de la couleur, à le rendre d'une consultation plus claire et plus aisée. C'est pour en faire un guide encore plus sûr et plus efficace que nous avons décidé ce nouveau rajeunissement. Nous en avons profité pour rajuster plus radicalement que dans les éditions précédentes certains détails qui reflétaient un état de la langue décidément vieilli : le «Bon Usage» tel que le décrit GREVISSE n'est plus celui que consignaient, il y a plus de cent ans, les frères BESCHERELLE. Une langue qui vit laisse peu à peu mourir les termes désuets pour donner droit de cité aux néologismes nés de besoins nouveaux et consacrés par la pratique des écrivains contemporains. C'est ainsi que la liste des verbes usuels a été révisée profondément, à la lumière, pour l'essentiel, de témoins aussi sûrs et aussi bien informés que le Dictionnaire de l'Académie (8e édition, 1935) et le Nouveau Littré (1964).

Pratiquement, lorsqu'un verbe fait difficulté, il suffit de le chercher dans la liste alphabétique placée à la fin du volume (p. 104 à 160) : le numéro indiqué en vis-à-vis renvoie au tableau où ce verbe se trouve entièrement conjugué à la forme active, ou à défaut, le verbe type auquel il emprunte rigoureusement toutes les terminaisons. Ainsi la liste de tous les verbes usuels de la langue française est précédée de 82 tableaux de conjugaison, référencés par des numéros d'ordre indépendants de la pagination, dont l'ensemble constitue la partie centrale de l'ouvrage (p. 18 à 103).

Mais ce livre a une autre fin : il permet l'étude systématique du verbe français, grâce à l'exposé grammatical placé en tête (p. 4 à 16); grâce à de nombreuses remarques de bas de pages qui signalent les particularités de conjugaison; grâce aussi aux tableaux des conjugaisons-types, disposés méthodiquement et classés non seulement par groupes de verbes mais aussi par similitude de finales, la couleur elle-même mettant en relief les formes caractéristiques qui donnent la clé de chaque conjugaison.

Puisse donc ce BESCHERELLE moderne, loin de déconcerter les fidèles usagers du précédent, aider mieux encore que par le passé, tous ceux, petits et grands, Français et étrangers, qui veulent s'initier aux difficultés et aux délicatesses de notre conjugaison et qui ont le souci de s'exprimer avec pureté et correction dans le français du XXe siècle.

A. D.

GRAMMAIRE DU VERBE

1 DÉFINITION DU VERBE

On appelle verbes les mots qui expriment qu'une personne ou une chose existe, est dans tel ou tel état, fait telle ou telle action.

Pierre **est** *sage. Le chat* **mange** *la souris. La terre* **tourne.**

Manière de reconnaître un verbe

On reconnaît qu'un mot est un verbe quand on peut mettre devant ce mot un des pronoms : **je, tu, il, nous, vous, ils,** ou encore les mots : **il faut, il ne faut pas, on peut, on doit,** etc. - Ainsi : *mentir, travailler, travaille, travaillons,* etc., sont des verbes parce qu'on peut dire : *Je travaille, nous travaillons, il faut travailler.*

2 DU SUJET DU VERBE

On appelle ainsi le mot représentant la personne, l'animal, ou la chose *qui existe, qui fait l'action* ou *qui est dans l'état* exprimé par le verbe :

La **terre** *est ronde;* **Paul** *étudie.*

Le sujet d'un verbe est ordinairement un **nom,** un **pronom,** ou un **infinitif.**

Le **travail** *ennoblit l'homme,* **il** *allège ses peines;* **travailler** *est un devoir.*

Manière de trouver le sujet

Pour trouver le sujet d'un verbe, on fait, **avant** ce verbe, la question **qui est-ce qui?** pour les personnes, ou **qu'est-ce qui?** pour les choses : *Louise parle :* **qui est-ce qui** *parle? Louise. - Le repentir efface tout :* **qu'est-ce qui** *efface? Le repentir.*

Louise, le repentir sont les **sujets.**

3 DU VERBE ET DE L'ATTRIBUT

L'attribut marque la qualité, bonne ou mauvaise, que l'on attribue ou que l'on refuse au sujet par l'intermédiaire d'un verbe :

Cette histoire est **amusante.**

Il est ordinairement uni au sujet par les verbes *être, paraître, sembler, passer pour, être regardé comme,* etc.

Le complément d'objet direct peut également être construit avec un attribut :

J'ai trouvé cette histoire **amusante.**

L'attribut est ordinairement :

- Un adjectif : *L'homme est* **mortel;**
- Un nom : *La vie est un* **combat;**
- Un pronom : *Le coupable, c'est* **moi;**
- Un infinitif : *Vouloir, c'est* **pouvoir.**

4 DU COMPLÉMENT DU VERBE

Les *compléments du verbe* sont les mots qui **précisent** ou **complètent** l'idée exprimée par le verbe :
J'ai visité **Le Havre** *avec* **mes parents** *pendant* **les vacances.**

Diverses sortes de compléments

Au point de vue du **sens,** on distingue les *compléments d'objet* des autres compléments : *compléments d'attribution, de circonstances,* etc.

● **Compléments d'objet.** On appelle *complément d'objet* le mot désignant la personne, l'animal ou la chose sur lesquels s'exerce ou passe l'action exprimée par le verbe :
J'aime **mes parents,** *je flatte* **mon chien,** *je vois* **la mer.**
Ces mots : *parents, chien, mer,* sont des **compléments d'objet.**

Lorsque les compléments d'objet ne sont pas précédés d'une préposition, ils sont *compléments d'objet direct : J'aime* **mon père.**

Le complément d'objet direct est ordinairement :
- Un nom : *Je connais mon* **devoir;**
- Un pronom : *Je* **vous** *vois;*
- Un infinitif : *Je veux* **partir;**
- Une proposition : *Je crois* **qu'il reviendra demain.**

On trouve le complément d'objet direct d'un verbe en posant, après ce verbe, la questifin **qui** pour les *personnes,* la question **quoi** pour les *choses* (sauf après les verbes qui participent du sens de **être** et se construisent avec un attribut).

Lorsque le complément d'objet est précédé d'une préposition exprimée ou sousentendue, il est *complément d'objet indirect :*
Je pense à **l'avenir;** *je* **vous** *parle; je me souviens du* **passé.**

● **Autres compléments.** Le verbe peut être complété par des mots moins indispensables au sens que les compléments d'objet. On les range pour la plupart sous le titre de **compléments circonstanciels :** ils font connaître à quel endroit, à quel moment, de quelle manière, par quel moyen, pour quelle raison, dans quelle intention, etc. se fait l'action exprimée par le verbe :
On doit aimer ses parents à **tout âge** *et de* **tout son cœur.**
Pierre m'a frappé avec un **bâton.**
Ce sont les compléments circonstanciels de lieu, de temps, de manière, de moyen, de cause, de but, etc.

On trouve les compléments qui marquent ces circonstances en posant après le verbe une des questions : **où?, quand?, comment?, au moyen de quoi?, pourquoi?, dans quelle intention?** *Étudiez pendant votre jeunesse :* Étudiez quand?... *Travaillez avec courage :* Travaillez comment?...

Aux compléments circonstanciels se rattache le **complément d'attribution** qui désigne la personne à qui on donne ou on refuse, en faveur ou au détriment de qui l'action se fait : *J'ai donné un livre à mon petit* **voisin.**

Il faut mettre à part le **complément d'agent,** spécial au verbe passif et qui indique par qui ou par quoi est faite l'action subie par le sujet :
Pierre est aimé de ses **parents.**

5 DE LA PERSONNE DANS LES VERBES

Il y a trois personnes dans les verbes.
La première personne est celle qui parle : elle est représentée par les pronoms : *je* au singulier, *nous* au pluriel.
La deuxième personne est celle à qui l'on parle : elle est représentée par les pronoms : *tu* au singulier, *vous* au pluriel.
La troisième personne est celle de qui l'on parle : elle est représentée par les pronoms : *il, elle,* etc., ou un nom au singulier; *ils, elles,* etc., ou un nom au pluriel.

6 DU NOMBRE DANS LES VERBES

Il y a, dans les verbes, deux *nombres* : **le singulier** : *Je lis, l'enfant dort;* **le pluriel** : *Nous lisons, les enfants dorment.*

7 DES TEMPS DANS LES VERBES

Il y a trois catégories principales de temps :

1. Le **présent** qui indique que l'action se fait, ou que l'état dure au moment même où l'on parle. *Je mange* est au présent, parce que l'action de manger se fait au moment où l'on parle.

2. Le **passé** qui indique que l'action se faisait ou s'est faite, que l'état durait avant le moment où l'on parle. *J'ai mangé* est au passé, parce que l'action de manger a déjà été accomplie.

3. Le **futur,** qui indique que l'action se fera ou que l'état durera après le moment où on parle. *Je mangerai* est au futur, parce que l'action de manger ne se fera que plus tard.

Temps du passé

Il y a cinq temps destinés à indiquer les diverses sortes de passé.

1. L'**imparfait,** qui marque que l'action, passée par rapport au moment où l'on parle, était encore inachevée, imparfaite, par rapport à une autre action également passée :
> *Je **lisais** quand vous êtes entré.*

Il marque également l'habitude, la répétition dans le passé :
> *Je me **promenais** tous les jours.*

Il s'emploie enfin pour situer dans le passé une description, une peinture, une action d'une certaine durée :
> *L'onde **était** transparente. Le malade **s'affaiblissait** de jour en jour.*

2. Le **passé simple** qui marque que l'action a eu lieu dans une époque passée, plus ou moins déterminée, mais totalement écoulée. C'est le temps du récit des événements passés :
> *En huit ans César **conquit** la Gaule.*

3. Le **passé composé** qui marque une action passée ayant quelque rapport avec le moment présent soit par ses résultats soit par tel ou tel de ses aspects :
> *Il y a deux mille ans que César **a conquis** la Gaule.*

4. Le **passé antérieur** qui marque une action passée ayant eu lieu avant une autre également passée quand celle-ci s'exprime par le passé simple :
*Quand j'***eus dîné**, *je partis.*

5. Le **plus-que-parfait** qui marque une action passée ayant eu lieu avant une autre également passée quand celle-ci s'exprime par l'imparfait :
*Quand j'***avais dîné**, *j'allais me promener.*

Temps simples et temps composés

Les temps des verbes à la forme active sont *simples* ou *composés*.
Les temps simples sont ceux où le verbe s'exprime par un seul mot, non compris le pronom : *Chantant, je chanterai, nous dînerons.*
Les temps composés sont formés de l'auxiliaire *avoir* ou *être* et du *participe passé* du verbe que l'on conjugue : *Avoir chanté, nous avons lu, ils auraient dansé.*

8 DU MODE DANS LES VERBES

On appelle *modes* les différentes inflexions que prend le verbe pour exprimer de quelle manière, dans quelles conditions l'action se fait, l'état se présente. Il y a six modes :

1. L'**indicatif**, qui affirme que la chose *est,* qu'elle *a été,* ou qu'elle *sera :*
Je **lis,** *j'***ai lu,** *je* **lirai.**

2. Le **conditionnel**, qui exprime qu'une chose *serait* ou *aurait été,* moyennant une condition :
Je **lirais** *si j'avais un livre ; j'***aurais lu** *si j'avais eu un livre.*

Il exprime également l'éventualité, l'affirmation atténuée.
Il était à l'origine un simple temps de l'indicatif exprimant le futur dans un contexte au passé. C'est ce futur de concordance que l'on emploie après un verbe principal au passé :
Je croyais qu'il **viendrait,** *par opposition à : Je crois qu'il* **viendra.**

3. L'**impératif**, qui exprime une *prière,* un *commandement,* une *défense :*
Lis, mange, sors, *ne* **viens** *pas.*

4. Le **subjonctif**, qui présente l'action ou l'état du sujet sous la dépendance d'un autre verbe exprimant la *nécessité,* la *volonté,* le *désir,* la *crainte,* le *doute :*
Il faut qu'il **vienne** *; je veux qu'il* **parte** *; je désire qu'il* **fasse** *cela.*

5. L'**infinitif**, qui exprime l'action ou l'état du sujet d'une manière vague, sans nombre, ni personne ; c'est un véritable nom verbal :
Lire, manger, dormir.

6. Le **participe** qui exprime l'idée verbale sous forme d'adjectif sans caractéristiques de personne et de nombre :
Aimant, aimé.

Modes personnels et modes impersonnels

Les **modes personnels** sont ceux où le verbe varie selon la personne ou le nombre du sujet. Ce sont l'*indicatif,* le *conditionnel,* l'*impératif* et le *subjonctif :*
Je **cours,** *je* **partirais, sors,** *que je* **sorte.**

Les **modes impersonnels** sont ceux où le verbe n'est point soumis à ces variations, c'est-à-dire ne s'accorde point en personne avec le sujet. Ce sont l'*infinitif* et le *participe :*
Aimer, avoir aimé, aimant, aimé.

9 DES DIFFÉRENTES ESPÈCES DE VERBES

Les verbes se présentent sous trois formes ou voix : la forme active, passive et pronominale.

● **Verbes à la forme active**   voir tableau 6

Le verbe est à la forme active lorsque le sujet *fait l'action* :
> Je **caresse** *mon chien.*

Les verbes à la forme active peuvent être transitifs ou intransitifs[1].
Le verbe est *transitif* lorsque l'action faite par le sujet passe sur un complément d'objet.
Si le verbe transitif peut avoir un complément d'objet *direct,* il est *transitif direct* :
> J'**aime** *mon père.*

S'il peut seulement avoir un complément d'objet *indirect,* il est *transitif indirect* :
> Je **pense** *à mon père.*

Le verbe est intransitif s'il exprime un état ou une action qui demeurent dans le sujet, sans être transmis à un complément d'objet, direct ou indirect :
> *La mer* **mugit**; *il* **dort** *profondément.*

NOTA. Un verbe ordinairement transitif peut être *accidentellement* intransitif, quand il est employé sans complément d'objet : *L'élève* **lit, écrit** *et* **étudie** *avec attention.*

● **Verbes à la forme passive**   voir tableau 3

Le verbe est à la forme passive lorsque le sujet *subit, reçoit l'action* exprimée par ce verbe et faite par un **complément d'agent** :
> *Mon chien* **est caressé** *par moi.*

La *forme passive* est faite de l'auxiliaire *être* suivi du participe passé d'un verbe transitif direct :
> *Qu'il* **soit amené. Avoir été pris.**

Pour faire passer une phrase de la *forme active* à la *forme passive,* on prend le **complément d'objet direct** du verbe transitif et on en fait le **sujet** du verbe à la forme passive, en employant l'auxiliaire **être** au même temps que le verbe transitif.

FORME ACTIVE :   *La fortune* **aveugle** *l'homme.*

FORME PASSIVE :   *L'homme* **est aveuglé** *par la fortune.*

Comme on le voit, le sujet du verbe transitif devient, à la forme passive, complément d'agent.
Réciproquement, pour faire passer un verbe du *passif* à *l'actif,* on prend le **complément d'agent** du verbe à la forme passive, et on en fait le **sujet** actif du verbe transitif :

FORME PASSIVE :   *Vercingétorix* **fut vaincu** *par César.*

FORME ACTIVE :   *César* **vainquit** *Vercingétorix.*

---

1. L'adjectif : *transitif,* qui vient du latin *transire,* signifie : *qui fait passer; intransitif,* qui a même origine, signifie : *qui ne fait pas passer.*

● **Verbes à la forme pronominale**   voir tableau 4

Le *verbe pronominal* est un verbe qui se conjugue avec un pronom personnel de la même personne que le sujet et désignant le même être que lui.
Le sujet du verbe pronominal peut être un nom : **Paul** *se lève*. S'il y a deux pronoms, le premier de ces pronoms est *sujet*, le second est *complément* : **Tu te** *nuis* : tu (sujet) nuis à qui ? *à toi*, remplacé par *te*, complément d'objet indirect.

Verbes pronominaux réfléchis - Verbes pronominaux réciproques. Lorsque l'action faite par le sujet passe, se réfléchit sur le sujet lui-même, on dit que le verbe est **pronominal réfléchi** :
    Je **me lève.**

Lorsque plusieurs sujets font *les uns sur les autres* l'action marquée par le verbe, on dit que le verbe est **pronominal réciproque** :
    Le chien et le chat **se battent.**

Verbes essentiellement pronominaux - Verbes pronominaux à sens passif. Certains verbes ne sont employés qu'à la forme pronominale : ils sont appelés verbes *essentiellement pronominaux : Se repentir, s'abstenir, s'emparer, etc.* Le pronom ne s'analyse jamais indépendamment du verbe.
    Les troupes **se sont emparées** *de la forteresse.*

D'autres verbes, accidentellement pronominaux, sont les équivalents exacts des mêmes verbes à la forme passive :
    Les vendanges **se font** *en automne* = *les vendanges sont faites en automne.*

● **Forme impersonnelle**

Les verbes impersonnels sont ceux dont le sujet **il** ou **ce** ne représente *rien* :
    Il **pleut,** *il* **neige,** *c'est* *une tempête.*
Les verbes impersonnels ne s'emploient qu'à la 3ᵉ personne du singulier.

On distingue :

1. Les verbes *essentiellement impersonnels,* c'est-à-dire qui ne peuvent se conjuguer qu'à la forme impersonnelle, comme : **Il faut.**

2. Les verbes *accidentellement impersonnels* comme : **il fait beau, il y a** *des gens vertueux,* **il arrive** *un malheur,* etc. *Il fait, il y a, il arrive,* sont des emplois impersonnels des verbes normaux *faire, avoir, arriver,* pris dans des acceptions particulières.

Conjugaison. Les verbes impersonnels n'ont pas d'*impératif.*

REMARQUE. Le sujet grammatical **il** ne représentant ni une personne, ni une chose n'est pas le sujet réel ; ce dernier est placé après le verbe :
    Il tombe de gros **flocons** *de neige : il* sujet apparent ; *flocons,* sujet réel.

10   DU RADICAL ET DE LA TERMINAISON DU VERBE

Il y a deux parties dans un verbe : le **radical** et la **terminaison ;** le radical reste invariable, la terminaison varie.
Pour trouver le radical d'un verbe, il suffit d'en retrancher l'une des terminaisons de l'infinitif : **er, ir, oir** et **re.** Ex. : **er** dans *chant***er, ir** dans *roug***ir,** etc., **radical :** *chant, roug.*

11 DES TROIS GROUPES DE VERBES

Il y a, en français, *trois groupes de verbes*, qui se distinguent surtout d'après les terminaisons de l'infinitif, de la première personne de l'indicatif présent, du participe présent.

● Le 1er groupe renferme les verbes terminés en **er** à l'infinitif et par **e** à la première personne du présent de l'indicatif : *Aim***er**, *j'aim***e**.

● Le 2e groupe renferme les verbes terminés par **ir** et ayant l'indicatif présent en **is** et le participe présent en **issant** : *Fin***ir**, *je fin***is**, *fin***issant**.

● Le 3e groupe comprend tous les autres verbes :
- Le verbe *aller*.
- Les verbes en **ir** qui n'ont pas l'indicatif présent en **is** et le participe présent en **issant** : *Cueill***ir**, *part***ir**;
- Les verbes terminés à l'infinitif, en **oir** ou en **re** : *Recev***oir**, *rend***re**.

NOTA. Les verbes nouveaux sont presque tous du 1er groupe : *téléviser, atomiser, radiographier*, etc.; quelques-uns du 2e : *amerrir*.

Le 3e groupe avec ses quelque 350 verbes est une conjugaison morte. A la différence des deux premiers groupes qui sont de type régulier, c'est lui qui compte le plus grand nombre d'exceptions et d'irrégularités de toute la conjugaison française.

Pour les terminaisons propres à ces 3 groupes : voir tableau 3.

12 DES VERBES AUXILIAIRES

Il y a deux verbes que l'on appelle *auxiliaires*, parce qu'ils servent à conjuguer tous les autres; ce sont les verbes **avoir** et **être**.
Pour leur conjugaison, voir tableau 1 (**avoir**) et tableau 2 (**être**).
Pour leur emploi voir ces tableaux et surtout, Nota page 104. En résumé :
- *la forme active* utilise l'auxiliaire **avoir** (sauf quelques verbes intransitifs qui se conjuguent avec l'auxiliaire *être*);
- *la forme passive* utilise l'auxiliaire **être**;
- *la forme pronominale* utilise l'auxiliaire **être** qui s'est substitué à **avoir** dans les verbes réfléchis et dans les verbes réciproques.

13 DE L'ACCORD DU VERBE AUX MODES PERSONNELS

UN SEUL SUJET

RÈGLE : Le verbe s'accorde avec son sujet en nombre et en personne :
> *Pierre est là. Tu arrives. Nous partons. Ils reviendront.*

Cas particuliers

● **Qui**, sujet, impose au verbe la personne de son antécédent : *C'est* **moi** *qui* **suis** *descendu le premier* et non *qui* **est** *descendu*.
Cependant après les expressions *le premier qui, le seul qui*, le verbe peut toujours se mettre à la 3e personne :
> *Tu es le seul qui en* **sois** *capable* ou *qui en* **soit** *capable.*

● **Noms collectifs.** Quand le sujet est un nom singulier du type *foule, multitude, infinité, troupe, groupe, nombre, partie, reste, majorité, dizaine, douzaine,* etc., suivi d'un complément de nom au pluriel, le verbe se met au singulier ou au pluriel selon que l'accent est mis sur l'ensemble ou au contraire sur les individus :

> Une **foule** de promeneurs **remplissait** *l'avenue.*
>
> Un grand nombre de **spectateurs manifestèrent** *bruyamment leur enthousiasme.*

● **Adverbes de quantité.** Quand le sujet est un adverbe tel que *beaucoup, peu, plus, moins, trop, assez, tant, autant, combien, que,* ou des locutions apparentées : *nombre de, quantité de, la plupart,* que ces mots soient suivis ou non d'un complément, le verbe se met au pluriel, à moins que le complément ne soit au singulier :

> *Beaucoup de candidats se présentèrent au concours mais combien ont échoué !*
>
> *Peu de monde était venu.*

REMARQUE : *Le peu de* veut, selon la nuance de sens, le singulier ou le pluriel :

> *Le peu d'efforts qu'il fait* **explique** *ses échecs* = la quantité insuffisante d'efforts.
>
> *Le peu de mois qu'il vient de passer à la campagne lui* **ont fait** *beaucoup de bien* = les quelques mois.

Plus d'un veut paradoxalement le singulier, alors que *moins de deux* veut le pluriel :

> *Plus d'un le* **regrette** *et pourtant moins de deux semaines seulement se* **sont écoulées** *depuis son départ.*

Un (e) des ... qui veut d'habitude le pluriel mais c'est le sens qui décide si le véritable antécédent de **qui** est le pronom indéfini **un,** et alors le verbe se met au singulier, ou si c'est le complément partitif, et alors le verbe se met au pluriel :

> *C'est un des écrivains de la nouvelle école qui a obtenu le prix.*
>
> *C'est un des rares romans intéressants qui aient paru cette année.*

● **Verbes impersonnels.** Toujours au singulier, même si le sujet réel est au pluriel :

> *Il tombait de gros flocons de neige.*

Cependant, si l'on doit dire : *c'est nous, c'est vous,* il est préférable de dire : *ce sont eux, c'étaient les enfants,* plutôt que *c'est eux, c'était les enfants.*

PLUSIEURS SUJETS

RÈGLE. S'il y a plusieurs sujets, le verbe se met au pluriel :

> *Mon père et mon oncle chassaient souvent ensemble.*

Si les sujets sont de différentes personnes, la 2e l'emporte sur la 3e, et la 1re sur les deux autres :

> *François et toi, vous êtes en bons termes.*
>
> *François et moi, nous sommes en bons termes.*

CAS PARTICULIERS

1. Sujets coordonnés

- par **et** : Le pronom *l'un et l'autre* veut le pluriel mais le singulier est correct : *L'un et l'autre se disent*, ou moins couramment, *se dit*.

- par **ou**, par **ni**. Le verbe se met au singulier si les sujets s'excluent : *La crainte ou l'orgueil l'a paralysé. Ni l'un ni l'autre n'emportera le prix.*

Le verbe se met au pluriel si les sujets peuvent agir en même temps : *Ni l'oisiveté ni le luxe ne font le bonheur. La peur ou la misère ont fait commettre bien des fautes* (Ac.).

- par **comme, ainsi que, avec**. Le verbe se met au pluriel si ces mots équivalent à **et** : *Le latin, comme le grec, sont des langues anciennes.*
Le verbe se met au singulier si ces mots gardent leur valeur grammaticale propre : *Le latin, comme le grec, possède des déclinaisons* (comparaison).

2. Sujets juxtaposés ou coordonnés

- *désignant un être unique :* le verbe se met au singulier :
C'est l'année où mourut mon oncle et mon tuteur.

- *formant une gradation :* le verbe s'accorde avec le dernier terme; surtout si celui-ci récapitule tous les autres (en particulier *chacun, tout, aucun, nul, personne, rien...*) : *Femmes, moine, vieillards,* **tout** *était descendu.*

14 DE L'ACCORD DU PARTICIPE PRÉSENT

RÈGLE : Employé comme verbe, c'est-à-dire exprimant une action, le participe présent est invariable; il est alors souvent accompagné de complément d'objet ou de circonstance ou précédé de la préposition **en**. Adjectif, il s'accorde.

> *L'orateur aborda des questions* **intéressant** *patrons et ouvriers. Il donna des précisions* **intéressantes**.

> *La fortune vient en* **dormant**. *Méfiez-vous des eaux* **dormantes**.

Il subsiste encore quelques traces de l'ancien usage qui faisait accorder au moins en nombre tous les participes présents sauf ceux précédés de en (cf. La Fontaine : *gens portants bâtons et mendiants*). Telles ces expressions : *les ayants droits, toutes affaires cessantes.*

Sont invariables : *soi-disant, battant neuf, flambant neuf,* mais on peut dire *huit heures sonnantes* ou *sonnant.*

REMARQUE. Beaucoup de participes présents terminés par **quant** ou **guant** s'écrivent **cant** ou **gant** quand ils sont pris comme adjectifs ou comme noms :

> *Il dompta les jeunes taureaux en les* **fatiguant** :
> *il leur imposa des travaux* **fatigants**.

On distingue ainsi : communi*quant* et communi*cant*, convain*quant* et convain*cant*; extrava*guant* et extrava*gant*, fabri*quant* et fabri*cant* (nom), fati*guant* et fati*gant*, intri*guant* et intri*gant*, navi*guant* et navi*gant*, provo*quant* et provo*cant*, suffo*quant* et suffo*cant*, va*quant* et va*cant*. Mais on orthographie identiquement, qu'ils soient verbes, adjectifs ou noms : *attaquant, croquant, manquant, piquant, pratiquant, trafiquant.*

15 DE L'ACCORD DU PARTICIPE PASSÉ

1 PARTICIPE PASSÉ EMPLOYÉ SANS AUXILIAIRE

RÈGLE. Le participe passé employé sans auxiliaire s'accorde avec le nom (ou pronom) auquel il se rapporte comme un simple adjectif :

> *L'année passée. Des fleurs écloses. Vérification faite.*

Cas particuliers

● *Attendu, y compris, non compris, excepté, supposé, vu,* etc.

- placés devant le nom sont traités comme des mots-outils et de ce fait sont invariables :

> *Excepté les petits enfants, toute la population de l'île fut massacrée.*

- placés après le nom, ils sont sentis comme de vrais participes et s'accordent :
Les petits enfants exceptés...

● *Étant donné* placé en tête peut s'accorder ou rester invariable :
Étant donné les circonstances   ou   *Étant données les circonstances...*
Mais on dira toujours : *Les circonstances étant données...*

● *Ci-joint, ci-inclus,* etc., devenus mots-outils, sont invariables en tête de phrase ou devant un nom sans article :

> *Ci-inclus la quittance. Vous trouverez ci-inclus copie de la lettre.*

Après un nom, véritables participes, ils s'accordent :

> *Vous voudrez bien acquitter la facture ci-jointe.*

Cependant l'accord est facultatif quand ils précèdent un nom accompagné de l'article :

> *Vous trouverez ci-inclus*   ou   *ci-incluse la copie de la lettre.*

2 PARTICIPE PASSÉ EMPLOYÉ AVEC L'AUXILIAIRE ÊTRE

RÈGLE : Le participe passé conjugué avec l'auxiliaire *être* s'accorde en genre et en nombre avec le sujet du verbe :

> *Ces fables seront **lues** à haute voix.*
> *Nous étions **venus** en toute hâte. Tant de sottises ont été **faites**.*

Cette règle vaut pour les temps composés de quelques verbes intransitifs à la forme active et pour tous les temps de tous les verbes à la forme passive. Pour les verbes pronominaux, voir ci-dessous, cas particuliers.

3 PARTICIPE PASSÉ EMPLOYÉ AVEC L'AUXILIAIRE AVOIR

RÈGLE : Le participe passé conjugué avec l'auxiliaire *avoir* s'accorde avec le complément d'objet direct placé avant le verbe. S'il n'y a pas de complément d'objet direct, ou si le complément d'objet direct est placé après le verbe, le participe passé reste invariable :

> *Je n'aurais jamais **fait** les sottises qu'il a **faites**.*
> *As-tu **lu** les journaux? Je les ai bien **lus** mais la nouvelle m'a échappé : j'ai **lu** trop rapidement.*

Cette règle vaut pour les temps composés de tous les verbes à la forme active, à part les quelques verbes intransitifs signalés comme se conjuguant avec **être**.

GRAMMAIRE DU VERBE

4 CAS PARTICULIERS

● **Participes conjugués avec être**

Verbes pronominaux. Le participe passé des verbes essentiellement pronominaux ou des pronominaux de sens passif (cf. p. 9) se conjugue avec l'auxiliaire **être** et s'accorde tout à fait normalement avec le sujet :

Les paysans se sont **souvenus** *que l'an passé les foins s'étaient* **fauchés** *très tard.*
(*souvenus* accordé avec *paysans* et *fauchés* accordé avec *foins*).

Au contraire, dans les verbes réfléchis ou réciproques (cf. p. 9), l'auxiliaire **être** étant mis pour **avoir**, le participe passé s'accorde comme s'il était conjugué avec **avoir**, c'est-à-dire avec le complément d'objet direct placé avant :

La jeune fille s'est **regardée** *rêveusement dans son miroir* (elle a regardé elle-même).

Les deux amis se sont **regardés** *longuement avant de se séparer* (ils ont regardé l'un l'autre mutuellement).

RÈGLE PRATIQUE : Toutes les fois que dans un verbe pronominal on peut remplacer l'auxiliaire être par l'auxiliaire avoir, on doit accorder le participe passé avec le complément d'objet direct s'il est placé avant (très souvent le pronom réfléchi), mais s'il n'y a pas de complément d'objet direct ou s'il est placé après, le participe passé reste invariable :

Ils se sont **lavés** *à l'eau froide* (ils ont lavé eux-mêmes : accord avec **se**).

Ils se sont **lavé** *les mains* (ils ont lavé les mains à eux-mêmes; le complément d'objet direct mains est placé après le verbe : pas d'accord).

Ils se sont **nui** (ils ont nui à eux-mêmes; **se** est complément d'objet indirect : pas d'accord).

Mais si on ne peut pas remplacer **être** par **avoir**, le participe passé s'accorde avec le sujet :
Elles se sont **repenties** *de leur étourderie*
(on ne peut dire : elles ont repenti elles-mêmes : accord avec le sujet *elles*).

La pièce s'est **jouée** *devant une salle vide*
(on ne peut dire : la pièce a joué elle-même : accord avec le sujet *pièce*).

REMARQUE. Le participe passé des verbes réfléchis suivants, dans lesquels **être** peut se remplacer par **avoir**, reste invariable parce qu'ils n'admettent pas de compléments d'objet direct : *se convenir, se nuire, se plaire, se complaire, se déplaire, se parler, se ressembler, se succéder, se suffire, se sourire, se rire*. En revanche, bien que le verbe *s'arroger* soit inusité à la forme active, son participe passé s'accorde comme s'il était conjugué avec **avoir** :
Les droits qu'il s'était **arrogés.**

● **Participes conjugués avec avoir**

1. Cas où le complément d'objet direct est :

a. *le pronom adverbial* **en**, équivalent à *de lui, d'elle, d'eux, d'elles, de cela.* La règle généralement admise est de ne pas accorder le participe :

Une bouteille de liqueur traînait par là : ils en ont **bu.**
Des nouvelles de mon frère? Je n'en ai pas **reçu** *depuis longtemps.*

Lorsque **en** est associé à un adverbe de quantité tel que *combien, tant, plus, moins, beaucoup,* etc., les règles sont si byzantines et si contestées que le parti le plus sage est de laisser le participe toujours invariable :

> *Des truites ? Il en a tant* **pris!** *Pas autant cependant qu'il en a* **manqué.**
>
> *Combien en a-t-on* **vu,** *je dis des plus huppés.* (Racine)
>
> *J'en ai tant* **vu,** *des rois.* (V. Hugo)

b. *le pronom personnel* **le.** Quand il a le sens de *cela* et représente toute une proposition, le participe passé est invariable :

> *Cette équipe s'est adjugé facilement la victoire, comme je l'avais* **pressenti.**

Mais lorsque **le** tient la place d'un nom, le participe s'accorde normalement :

> *Cette victoire, je l'avais* **pressentie.**

c. *un nom collectif* suivi d'un complément au pluriel (*une foule de gens*), un adverbe de quantité (*combien de gens*), les locutions *le peu de, un des... qui, plus d'un, moins de deux.* Il y a lieu, pour l'accord du participe passé, d'observer les mêmes règles qui régissent l'accord du verbe lorsque ces expressions sont sujet (voir p. 11).

2. Verbes impersonnels

Le participe passé est toujours invariable :

> *Les énormes grêlons qu'il est* **tombé.**

En particulier *eu, fait, fallu* ne s'accordent jamais dans les phrases suivantes :

> *Les gelées qu'il a* **fait.** *Les accidents qu'il y a* **eu.**
>
> *La ténacité qu'il lui a* **fallu.**

3. Verbes tantôt transitifs, tantôt intransitifs

Les participes *valu, coûté, pesé, couru, vécu,* sont invariables quand le verbe est employé au sens propre (intransitif), mais s'accordent avec le complément d'objet placé avant, quand ils sont employés au sens figuré (transitif) :

> *Les millions que cette maison a* **coûté** (elle a coûté combien ?)

mais *Les soucis que cette maison nous a* **coûtés** (elle nous a coûté quoi ?).

> *Les quatre années qu'il a* **vécu** *aux Indes* (il a vécu combien de temps ?)

mais *Les aventures qu'il y a* **vécues** (il a vécu quoi ?).

4. Participes passés suivis d'un infinitif

a. *vu, regardé, aperçu, entendu, écouté, senti* (verbes de perception), *envoyé, amené, laissé,* suivis d'un infinitif, tantôt s'accordent et tantôt sont invariables.

Si le nom (ou le pronom) qui précède est sujet de l'infinitif, ce nom est senti comme complément d'objet direct du participe et celui-ci s'accorde :

> *La pianiste que j'ai* **entendue** *jouer.*

(j'ai entendu qui? - La pianiste faisant l'action de jouer); le complément d'objet direct *que,* mis pour *la pianiste,* est placé avant : on accorde.

Si le nom (ou le pronom) qui précède est complément d'objet et non sujet de l'infinitif, le participe reste invariable puisqu'il a comme complément l'infinitif lui-même :

> *La sonate que j'ai* **entendu** *jouer.*

(j'ai entendu quoi? - jouer; jouer quoi? - la sonate); le complément d'objet direct *jouer* est placé après : on n'accorde pas.

b. *dit, pensé, cru* suivis d'un infinitif sont toujours invariables :

*Il a perdu la bague qu'il m'avait **dit** lui venir de sa mère.*

Et non : *qu'il m'avait dite* car le complément d'objet direct de *avoir dit* est toute la proposition : (il m'avait dit quoi ? - que sa bague lui venait de sa mère).

c. *fait* suivi d'un infinitif est toujours invariable car il forme avec l'infinitif une expression verbale indissociable :

*Les soupçons qu'il a **fait** naître*

(que, mis pour soupçons, est complément d'objet direct de *a fait naître* et non de *a fait* seul).

Pour une raison semblable, *laissé* suivi d'un infinitif, particulièrement dans les locutions *laisser dire, laisser faire, laisser aller*, peut ne pas s'accorder même quand le nom (ou le pronom) qui précède est sujet de l'infinitif :

*Quelle indulgence pour ses petits enfants ! Il les a **laissé** jouer avec sa montre et il ne les a pas **laissé** gronder.*

On peut, il est vrai, écrire : *il les a **laissés** jouer* si, détachant le verbe *laisser* du verbe *jouer*, on comprend : *il leur a permis de jouer avec sa montre*. Mais le deuxième participe *laissé* est obligatoirement invariable puisque en aucun cas *les* ne peut être sujet de *gronder*.

d. *eu à, donné à, laissé à* suivis d'un infinitif s'accordent ou restent invariables, selon que le nom (ou le pronom) qui précède est senti ou non comme le complément d'objet direct du participe :

*Les problèmes qu'il a **eu** à résoudre*

(il a été tenu de résoudre quoi ? - les problèmes).

*L'auto qu'on lui avait **donnée** à réparer*

(on lui avait donné quoi ? - l'auto en vue d'une réparation). Mais ces distinctions sont parfois bien subtiles et l'accord est facultatif.

e. *pu, dû, voulu* sont invariables car leur complément d'objet direct est un infinitif ou toute une proposition sous-entendue :

*J'ai fait tous les efforts que j'ai **pu** (sous-entendu faire),*
*mais je n'ai pas eu tous les succès qu'il aurait **voulu** (sous-entendu que j'eusse).*

2
Tableaux de conjugaison
des verbes types

(tableau synoptique p. 18 et 19)

LES TABLEAUX DE CONJUGAISON

TABLEAUX GÉNÉRAUX

1	Auxiliaire avoir	**3**	Forme passive (être aimé)
2	Auxiliaire être	**4**	Forme pronominale (se méfier)
6	Forme active (aimer)	**5**	Les terminaisons
			des trois groupes de verbes

PREMIER GROUPE (verbe en -ER)

6	aimer	**-er**		**13**	créer	**-éer**
7	placer	**-cer**		**14**	assiéger	**-éger**
8	manger	**-ger**		**15**	apprécier	**-ier**
9	peser	**-e(.)er**		**16**	payer	**-ayer**
10	céder	**-é(.)er**		**17**	broyer	**-oyer/uyer**
11	jeter	**-eler/eter I**		**18**	envoyer	**—**
12	modeler	**-eler/eter II**				

DEUXIÈME GROUPE (verbes en -IR/ISSANT)

19	finir	**-ir**		**20**	haïr	**—**

TROISIÈME GROUPE

21	Généralités	**22**	aller

1ʳᵉ section (verbes en -IR/ANT)

23	tenir	**-enir**		**31**	bouillir	**-llir**
24	acquérir	**-érir**		**32**	dormir	**-mir**
25	sentir	**-tir**		**33**	courir	**-rir**
26	vêtir	**—**		**34**	mourir	**—**
27	couvrir	**-vrir/frir**		**35**	servir	**-vir**
28	cueillir	**-llir**		**36**	fuir	**-uir**
29	assaillir	**—**		**37**	ouïr, gésir	
30	faillir	**—**				

2ᵉ section (verbes en -OIR)

38	recevoir	**-cevoir**	46	falloir	**-loir**
39	voir	**-voir**	47	valoir	—
40	pourvoir	—	48	vouloir	—
41	savoir	—	49	asseoir	**-seoir**
42	devoir	—	50	seoir, messeoir	—
43	pouvoir	—	51	surseoir	—
44	mouvoir	—	52	choir, échoir, déchoir	
45	pleuvoir	—			

3ᵉ section (verbes en -RE)

53	rendre	**-andre/endre/ondre** **-erdre/ordre**	68	croire	**-oire**
			69	boire	—
54	prendre	—	70	clore	**-ore**
55	battre	**-attre**	71	conclure	**-ure**
56	mettre	**-ettre**	72	absoudre	**-oudre**
57	peindre	**-eindre**	73	coudre	—
58	joindre	**-oindre**	74	moudre	—
59	craindre	**-aindre**	75	suivre	**-ivre**
60	vaincre	—	76	vivre	—
61	traire	**-aire**	77	lire	**-ire**
62	faire	—	78	dire	—
63	plaire	—	79	rire	—
64	connaître	**-aître**	80	écrire	—
65	naître	—	81	confire	—
66	paître	—	82	cuire	**-uire**
67	croître	**-oître**			

1 VERBE **AVOIR**

Avoir est verbe transitif quand il a un complément d'objet direct : *J'ai un beau livre.* Mais le plus souvent il sert d'auxiliaire pour tous les verbes à la forme active sauf pour quelques verbes intransitifs qui dans la liste alphabétique sont suivis de la mention (aux. être) : **J'ai** *acheté un livre;* mais : Je **suis** *venu en toute hâte.*

INDICATIF

Présent		Passé composé	
j'	ai	j' ai	eu
tu	as	tu as	eu
il	a	il a	eu
nous	avons	n. avons	eu
vous	avez	v. avez	eu
ils	ont	ils ont	eu

Imparfait		Plus-que-parfait	
j'	avais	j' avais	eu
tu	avais	tu avais	eu
il	avait	il avait	eu
nous	avions	n. avions	eu
vous	aviez	v. aviez	eu
ils	avaient	ils avaient	eu

Passé simple		Passé antérieur	
j'	eus	j' eus	eu
tu	eus	tu eus	eu
il	eut	il eut	eu
nous	eûmes	n. eûmes	eu
vous	eûtes	v. eûtes	eu
ils	eurent	ils eurent	eu

Futur simple		Futur antérieur	
j'	aurai	j' aurai	eu
tu	auras	tu auras	eu
il	aura	il aura	eu
nous	aurons	n. aurons	eu
vous	aurez	v. aurez	eu
ils	auront	ils auront	eu

SUBJONCTIF

Présent	Passé	
que j' aie	que j' aie	eu
que tu aies	que tu aies	eu
qu'il ait	qu'il ait	eu
que n. ayons	que n. ayons	eu
que v. ayez	que v. ayez	eu
qu'ils aient	qu'ils aient	eu

Imparfait	Plus-que-parfait	
que j' eusse	que j' eusse	eu
que tu eusses	que tu eusses	eu
qu'il eût	qu'il eût	eu
que n. eussions	que n. eussions	eu
que v. eussiez	que v. eussiez	eu
qu'ils eussent	qu'ils eussent	eu

IMPÉRATIF

Présent	Passé	
aie	aie	eu
ayons	ayons	eu
ayez	ayez	eu

CONDITIONNEL

Présent		Passé 1re forme	
j'	aurais	j' aurais	eu
tu	aurais	tu aurais	eu
il	aurait	il aurait	eu
n.	aurions	n. aurions	eu
v.	auriez	v. auriez	eu
ils	auraient	ils auraient	eu

Passé 2e forme		
j'	eusse	eu
tu	eusses	eu
il	eût	eu
n.	eussions	eu
v.	eussiez	eu
ils	eussent	eu

INFINITIF

Présent	Passé
avoir	avoir eu

PARTICIPE

Présent	Passé
ayant	eu, eue
	ayant eu

Être sert d'auxiliaire : 1. à tous les verbes passifs; 2. à tous les verbes pronominaux; 3. à quelques verbes intransitifs qui dans la liste alphabétique sont suivis de la mention (aux. être). Certains verbes se conjuguent tantôt avec **être**, tantôt avec **avoir**, ils sont affectés du signe ♦. Le participe **été** est toujours invariable.

INDICATIF

Présent		Passé composé	
je	suis	j'	ai	été
tu	es	tu	as	été
il	est	il	a	été
nous	sommes	n.	avons	été
vous	êtes	v.	avez	été
ils	sont	ils	ont	été

Imparfait		Plus-que-parfait	
j'	étais	j'	avais	été
tu	étais	tu	avais	été
il	était	il	avait	été
nous	étions	n.	avions	été
vous	étiez	v.	aviez	été
ils	étaient	ils	avaient	été

Passé simple		Passé antérieur	
je	fus	j'	eus	été
tu	fus	tu	eus	été
il	fut	il	eut	été
nous	fûmes	n.	eûmes	été
vous	fûtes	v.	eûtes	été
ils	furent	ils	eurent	été

Futur simple		Futur antérieur	
je	serai	j'	aurai	été
tu	seras	tu	auras	été
il	sera	il	aura	été
nous	serons	n.	aurons	été
vous	serez	v.	aurez	été
ils	seront	ils	auront	été

SUBJONCTIF

Présent		Passé	
que je	sois	que j'	aie	été
que tu	sois	que tu	aies	été
qu'il	soit	qu'il	ait	été
que n.	soyons	que n.	ayons	été
que v.	soyez	que v.	ayez	été
qu'ils	soient	qu'ils·	aient	été

Imparfait		Plus-que-parfait	
que je	fusse	que j'	eusse	été
que tu	fusses	que tu	eusses	été
qu'il	fût	qu'il	eût	été
que n.	fussions	que n.	eussions	été
que v.	fussiez	que v.	eussiez	été
qu'ils	fussent	qu'ils	eussent	été

IMPÉRATIF

Présent	Passé	
sois	aie	été
soyons	ayons	été
soyez	ayez	été

CONDITIONNEL

Présent		Passé 1re forme	
je	serais	j'	aurais	été
tu	serais	tu	aurais	été
il	serait	il	aurait	été
n.	serions	n.	aurions	été
v.	seriez	v.	auriez	été
ils	seraient	ils	auraient	été

Passé 2e forme		
j'	eusse	été
tu	eusses	été
il	eût	été
n.	eussions	été
v.	eussiez	été
ils	eussent	été

INFINITIF

Présent	Passé
être	avoir été

PARTICIPE

Présent	Passé
étant	été
	ayant été

3 ÊTRE AIMÉ conjugaison type de la forme passive

INDICATIF

Présent		Passé composé		
je suis	aimé	j' ai	été	aimé
tu es	aimé	tu as	été	aimé
il est	aimé	il a	été	aimé
n. sommes	aimés	n. avons	été	aimés
v. êtes	aimés	v. avez	été	aimés
ils sont	aimés	ils ont	été	aimés

Imparfait		Plus-que-parfait		
j' étais	aimé	j' avais	été	aimé
tu étais	aimé	tu avais	été	aimé
il était	aimé	il avait	été	aimé
n. étions	aimés	n. avions	été	aimés
v. étiez	aimés	v. aviez	été	aimés
ils étaient	aimés	ils avaient	été	aimés

Passé simple		Passé antérieur		
je fus	aimé	j' eus	été	aimé
tu fus	aimé	tu eus	été	aimé
il fut	aimé	il eut	été	aimé
n. fûmes	aimés	n. eûmes	été	aimés
v. fûtes	aimés	v. eûtes	été	aimés
ils furent	aimés	ils eurent	été	aimés

Futur simple		Futur antérieur		
je serai	aimé	j' aurai	été	aimé
tu seras	aimé	tu auras	été	aimé
il sera	aimé	il aura	été	aimé
n. serons	aimés	n. aurons	été	aimés
v. serez	aimés	v. aurez	été	aimés
ils seront	aimés	ils auront	été	aimés

INFINITIF

Présent	Passé
être aimé	avoir été aimé

SUBJONCTIF

Présent		Passé		
que je sois	aimé	que j' aie	été	aimé
que tu sois	aimé	que tu aies	été	aimé
qu'il soit	aimé	qu'il ait	été	aimé
que n. soyons	aimés	que n. ayons	été	aimés
que v. soyez	aimés	que v. ayez	été	aimés
qu'ils soient	aimés	qu'ils aient	été	aimés

Imparfait		Plus-que-parfait		
que je fusse	aimé	que j' eusse	été	aimé
que tu fusses	aimé	que tu eusses	été	aimé
qu'il fût	aimé	qu'il eût	été	aimé
que n. fussions	aimés	que n. eussions	été	aimés
que v. fussiez	aimés	que v. eussiez	été	aimés
qu'ils fussent	aimés	qu'ils eussent	été	aimés

IMPÉRATIF

Présent	Passé
sois aimé	*inusité*
soyons aimés	
soyez aimés	

CONDITIONNEL

Présent		Passé 1re forme		
je serais	aimé	j' aurais	été	aimé
tu serais	aimé	tu aurais	été	aimé
il serait	aimé	il aurait	été	aimé
n. serions	aimés	n. aurions	été	aimés
v. seriez	aimés	v. auriez	été	aimés
ils seraient	aimés	ils auraient	été	aimés

Passé 2e forme		
j' eusse	été	aimé
tu eusses	été	aimé
il eût	été	aimé
n. eussions	été	aimés
v. eussiez	été	aimés
ils eussent	été	aimés

PARTICIPE

Présent	Passé
étant aimé	aimé, ée
	ayant été aimé

Le participe passé du verbe à la forme passive s'accorde toujours avec le sujet : *elle est aimée*.

conjugaison type de la forme pronominale[1] SE MÉFIER 4

INDICATIF

Présent

je me	méfie	je me	suis	méfié
tu te	méfies	tu t'	es	méfié
il se	méfie	il s'	est	méfié
n. n.	méfions	n. n.	sommes	méfiés
v. v.	méfiez	v. v.	êtes	méfiés
ils se	méfient	ils se	sont	méfiés

Passé composé

Imparfait

je me	méfiais	je m'	étais	méfié
tu te	méfiais	tu t'	étais	méfié
il se	méfiait	il s'	était	méfié
n. n.	méfiions	n. n.	étions	méfiés
v. v.	méfiiez	v. v.	étiez	méfiés
ils se	méfiaient	ils s'	étaient	méfiés

Plus-que-parfait

Passé simple

je me	méfiai	je me	fus	méfié
tu te	méfias	tu te	fus	méfié
il se	méfia	il se	fut	méfié
n. n.	méfiâmes	n. n.	fûmes	méfiés
v. v.	méfiâtes	v. v.	fûtes	méfiés
ils se	méfièrent	ils se	furent	méfiés

Passé antérieur

Futur simple

je me	méfierai	je me	serai	méfié
tu te	méfieras	tu te	seras	méfié
il se	méfiera	il se	sera	méfié
n. n.	méfierons	n. n.	serons	méfiés
v. v.	méfierez	v. v.	serez	méfiés
ils se	méfieront	ils se	seront	méfiés

Futur antérieur

SUBJONCTIF

Présent

que je me	méfie	que je me	sois	méfié
que tu te	méfies	que tu te	sois	méfié
qu'il se	méfie	qu'il se	soit	méfié
que n. n.	méfiions	que n. n.	soyons	méfiés
que v. v.	méfiiez	que v. v.	soyez	méfiés
qu'ils se	méfient	qu'ils se	soient	méfiés

Passé

Imparfait

que je me	méfiasse	que je me	fusse	méfié
que tu te	méfiasses	que tu te	fusses	méfié
qu'il se	méfiât	qu'il se	fût	méfié
que n. n.	méfiassions	que n. n.	fussions	méfiés
que v. v.	méfiassiez	que v. v.	fussiez	méfiés
qu'ils se	méfiassent	qu'ils se	fussent	méfiés

Plus-que-parfait

IMPÉRATIF

Présent

méfie-toi
méfions-nous
méfiez-vous

Passé

inusité

CONDITIONNEL

Présent

je me	méfierais
tu te	méfierais
il se	méfierait
n. n.	méfierions
v. v.	méfieriez
ils se	méfieraient

Passé 1re forme

je me	serais	méfié
tu te	serais	méfié
il se	serait	méfié
n. n.	serions	méfiés
v. v.	seriez	méfiés
ils se	seraient	méfiés

Passé 2e forme

je me	fusse	méfié
tu te	fusses	méfié
il se	fût	méfié
n. n.	fussions	méfiés
v. v.	fussiez	méfiés
ils se	fussent	méfiés

INFINITIF

Présent	Passé
se méfier	s'être méfié

PARTICIPE

Présent	Passé
se méfiant	s'étant méfié

---

1. Le participe passé des verbes essentiellement pronominaux comme **se méfier** s'accorde toujours avec le sujet. Pour les autres (verbes réfléchis et verbes réciproques) voir la règle de la page 14 (cas particulier).

5 LES TERMINAISONS DES TROIS GROUPES DE VERBES

	1er	2e	3e groupe			1er	2e	3e groupe
INDICATIF Présent					**SUBJONCTIF Présent**			
1 S	e[1]	is	s (x[3])	e[5]		e	isse	e
2 S	es	is	s (x[3])	e[5]		es	isses	es
3 S	e	it	t (d[4])	e[5]		e	isse	e
1 P	ons	issons	ons	ons		ions	issions	ions
2 P	ez	issez	ez	ez		iez	issiez	iez
3 P	ent	issent	ent (nt[2])	ent		ent	issent	ent

	1er	2e	3e groupe			1er	2e	3e groupe	
INDICATIF Imparfait					**SUBJONCTIF Imparfait**				
1 S	ais	issais	ais		asse	isse[6]	isse[6]	usse[6]	
2 S	ais	issais	ais		asses	isses	isses	usses	
3 S	ait	issait	ait		ât	ît	ît	ût	
1 P	ions	issions	ions		assions	issions	issions	ussions	
2 P	iez	issiez	iez		assiez	issiez	issiez	ussiez	
3 P	aient	issaient	aient		assent	issent	issent	ussent	

	1er	2e	3e groupe				1er	2e	3e groupe	
INDICATIF Passé simple						**IMPÉRATIF Présent**				
1 S	ai	is	is[6]	us[6]						
2 S	as	is	is	us			e	is	s	e[5]
3 S	a	it	it	ut						
1 P	âmes	îmes	îmes	ûmes			ons	issons	ons	ons
2 P	âtes	îtes	îtes	ûtes			ez	issez	ez	ez
3 P	èrent	irent	irent	urent						

	1er	2e	3e groupe			1er	2e	3e groupe
INDICATIF Futur simple					**CONDITIONNEL Présent**			
1 S	erai	irai	. . .rai		erais	irais	. . .rais
2 S	eras	iras	. . .ras		erais	irais	. . .rais
3 S	era	ira	. . .ra		erait	irait	. . .rait
1 P	erons	irons	. . .rons		erions	irions	. . .rions
2 P	erez	irez	. . .rez		eriez	iriez	. . .riez
3 P	eront	iront	. . .ront		eraient	iraient	. . .raient

Modes impersonnels	**INFINITIF Présent**	er	ir	ir ; oir ; re
	PARTICIPE Présent	ant	issant	ant
	PARTICIPE Passé	é	i	i (is, it) ; u (us) ; t ; s

1. Forme interrogative : devant **je** inversé, **e** final s'écrit **é** et se prononce **è** ouvert : *aimé-je ? acheté-je ?*

2. Ont la finale **-ont** : *ils sont, ils ont, ils font, ils vont.*

3. Seulement dans *je peux, tu peux ; je veux, tu veux ; je vaux, tu vaux.*

4. Ont la finale **d**, les verbes en **dre** (sauf ceux en **...indre** et **soudre** qui prennent un **t**).

5. Ainsi *assaillir, couvrir, cueillir, défaillir, offrir, ouvrir, souffrir, tressaillir,* et, à l'impératif seulement, *avoir, savoir, vouloir* (aie, sache, veuille).

6. Sauf *je vins,* etc., *je tins,* etc. ; *que je vinsse,* etc., *que je tinsse,* etc. ; et leurs composés.

conjugaison type de la forme active[1] VERBES EN -ER : AIMER

INDICATIF

Présent		Passé composé	
j'	aim e	j' ai	aimé
tu	aim es	tu as	aimé
il	aim e	il a	aimé
nous	aim ons	n. avons	aimé
vous	aim ez	v. avez	aimé
ils	aim ent	ils ont	aimé

Imparfait		Plus-que-parfait	
j'	aim ais	j' avais	aimé
tu	aim ais	tu avais	aimé
il	aim ait	il avait	aimé
nous	aim ions	n. avions	aimé
vous	aim iez	v. aviez	aimé
ils	aim aient	ils avaient	aimé

Passé simple		Passé antérieur	
j'	aim ai	j' eus	aimé
tu	aim as	tu eus	aimé
il	aim a	il eut	aimé
nous	aim âmes	n. eûmes	aimé
vous	aim âtes	v. eûtes	aimé
ils	aim èrent	ils eurent	aimé

Futur simple		Futur antérieur	
j'	aim erai	j' aurai	aimé
tu	aim eras	tu auras	aimé
il	aim era	il aura	aimé
nous	aim erons	n. aurons	aimé
vous	aim erez	v. aurez	aimé
ils	aim eront	ils auront	aimé

SUBJONCTIF

Présent		Passé	
que j'	aim e	que j' aie	aimé
que tu	aim es	que tu aies	aimé
qu'il	aim e	qu'il ait	aimé
que n.	aim ions	que n. ayons	aimé
que v.	aim iez	que v. ayez	aimé
qu'ils	aim ent	qu'ils aient	aimé

Imparfait		Plus-que-parfait	
que j'	aim asse	que j' eusse	aimé
que tu	aim asses	que tu eusses	aimé
qu'il	aim ât	qu'il eût	aimé
que n.	aim assions	que n. eussions	aimé
que v.	aim assiez	que v. eussiez	aimé
qu'ils	aim assent	qu'ils eussent	aimé

IMPÉRATIF

Présent	Passé	
aim e	aie	aimé
aim ons	ayons	aimé
aim ez	ayez	aimé

CONDITIONNEL

Présent		Passé 1re forme		
j'	aim erais	j'	aurais	aimé
tu	aim erais	tu	aurais	aimé
il	aim erait	il	aurait	aimé
n.	aim erions	n.	aurions	aimé
v.	aim eriez	v.	auriez	aimé
ils	aim eraient	ils	auraient	aimé

Passé 2e forme		
j'	eusse	aimé
tu	eusses	aimé
il	eût	aimé
n.	eussions	aimé
v.	eussiez	aimé
ils	eussent	aimé

INFINITIF

Présent	Passé
aimer	avoir aimé

PARTICIPE

Présent	Passé
aimant	aimé, ée
	ayant aimé

1. Pour les verbes qui, à la forme active, forment leurs temps composés avec l'auxiliaire **être,** voir la conjugaison du verbe **aller** (tableau 22) ou **mourir** (tableau 34).

7 VERBES EN -CER : PLACER

Les verbes en **-cer** prennent une **cédille** sous le c devant les voyelles **a** et **o** : *Commençons, tu commenças,* pour conserver au c le son doux.

INDICATIF

Présent		Passé composé	
je	pla ce	j' ai	placé
tu	pla ces	tu as	placé
il	pla ce	il a	placé
nous	pla çons	n. avons	placé
vous	pla cez	v. avez	placé
ils	pla cent	ils ont	placé

Imparfait		Plus-que-parfait	
je	pla çais	j' avais	placé
tu	pla çais	tu avais	placé
il	pla çait	il avait	placé
nous	pla cions	n. avions	placé
vous	pla ciez	v. aviez	placé
ils	pla çaient	ils avaient	placé

Passé simple		Passé antérieur	
je	pla çai	j' eus	placé
tu	pla ças	tu eus	placé
il	pla ça	il eut	placé
nous	pla çâmes	n. eûmes	placé
vous	pla çâtes	v. eûtes	placé
ils	pla cèrent	ils eurent	placé

Futur simple		Futur antérieur	
je	pla cerai	j' aurai	placé
tu	pla ceras	tu auras	placé
il	pla cera	il aura	placé
nous	pla cerons	n. aurons	placé
vous	pla cerez	v. aurez	placé
ils	pla ceront	ils auront	placé

SUBJONCTIF

Présent		Passé	
que je	pla ce	que j' aie	placé
que tu	pla ces	que tu aies	placé
qu'il	pla ce	qu'il ait	placé
que n.	pla cions	que n. ayons	placé
que v.	pla ciez	que v. ayez	placé
qu'ils	pla cent	qu'ils aient	placé

Imparfait		Plus-que-parfait	
que je	pla çasse	que j' eusse	placé
que tu	pla çasses	que tu eusses	placé
qu'il	pla çât	qu'il eût	placé
que n.	pla çassions	que n. eussions	placé
que v.	pla çassiez	que v. eussiez	placé
qu'ils	pla çassent	qu'ils eussent	placé

IMPÉRATIF

Présent	Passé	
pla ce	aie	placé
pla çons	ayons	placé
pla cez	ayez	placé

CONDITIONNEL

Présent		Passé 1re forme	
je	pla cerais	j' aurais	placé
tu	pla cerais	tu aurais	placé
il	pla cerait	il aurait	placé
n.	pla cerions	n. aurions	placé
v.	pla ceriez	v. auriez	placé
ils	pla ceraient	ils auraient	placé

Passé 2e forme		
j'	eusse	placé
tu	eusses	placé
il	eût	placé
n.	eussions	placé
v.	eussiez	placé
ils	eussent	placé

INFINITIF

Présent	Passé
pla cer	avoir placé

PARTICIPE

Présent	Passé
pla çant	pla cé, ée
	ayant placé

Les verbes en **-ger** conservent l'**e** après le **g** devant les voyelles **a** et **o** : *Nous jugeons, tu jugeas,* pour maintenir partout le son du **g** doux.

INDICATIF

Présent		*Passé composé*	
je	man ge	j' ai	mangé
tu	man ges	tu as	mangé
il	man ge	il a	mangé
nous	man geons	n. avons	mangé
vous	man gez	v. avez	mangé
ils	man gent	ils ont	mangé

Imparfait		*Plus-que-parfait*	
je	man geais	j' avais	mangé
tu	man geais	tu avais	mangé
il	man geait	il avait	mangé
nous	man gions	n. avions	mangé
vous	man giez	v. aviez	mangé
ils	man geaient	ils avaient	mangé

Passé simple		*Passé antérieur*	
je	man geai	j' eus	mangé
tu	man geas	tu eus	mangé
il	man gea	il eut	mangé
nous	man geâmes	n. eûmes	mangé
vous	man geâtes	v. eûtes	mangé
ils	man gèrent	ils eurent	mangé

Futur simple		*Futur antérieur*	
je	man gerai	j' aurai	mangé
tu	man geras	tu auras	mangé
il	man gera	il aura	mangé
nous	man gerons	n. aurons	mangé
vous	man gerez	v. aurez	mangé
ils	man geront	ils auront	mangé

SUBJONCTIF

Présent		*Passé*	
que je	man ge	que j'	aie	mangé
que tu	man ges	que tu aies	mangé
qu'il	man ge	qu'il ait	mangé
que n.	man gions	que n. ayons	mangé
que v.	man giez	que v. ayez	mangé
qu'ils	man gent	qu'ils aient	mangé

Imparfait		*Plus-que-parfait*	
que je	man geasse	que j' eusse	mangé
que tu	man geasses	que tu eusses	mangé
qu'il	man geât	qu'il eût	mangé
que n.	man geassions	que n. eussions	mangé
que v.	man geassiez	que v. eussiez	mangé
qu'ils	man geassent	qu'ils eussent	mangé

IMPÉRATIF

Présent	*Passé*	
man ge	aie	mangé
man geons	ayons	mangé
man gez	ayez	mangé

CONDITIONNEL

Présent	*Passé 1re forme*	
je man gerais	j' aurais	mangé
tu man gerais	tu aurais	mangé
il man gerait	il aurait	mangé
n. man gerions	n. aurions	mangé
v. man geriez	v. auriez	mangé
ils man geraient	ils auraient	mangé

Passé 2e forme	
j' eusse	mangé
tu eusses	mangé
il eût	mangé
n. eussions	mangé
v. eussiez	mangé
ils eussent	mangé

INFINITIF

Présent	*Passé*
man ger	avoir mangé

PARTICIPE

Présent	*Passé*
man geant	man gé, ée
	ayant mangé

9 VERBES EN E(.)ER : PESER

Verbes ayant un **e muet** (e) à l'avant-dernière syllabe de l'infinitif

Verbes en **-ecer, -emer, -ener, -eper, -eser, -ever, -evrer.**
Ces verbes qui ont un e muet à l'avant-dernière syllabe de l'infinitif, comme **lever,**
changent l'**e muet** en **è ouvert** devant une syllabe muette, y compris devant les
terminaisons *erai..., erais...,* du futur et du conditionnel : *je lève, je lèverai.*
Nota. Pour les verbes en **-eler, -eter,** voir **11** et **12.**

INDICATIF

Présent		Passé composé	
je	p èse	j' ai	pesé
tu	p èses	tu as	pesé
il	p èse	il a	pesé
nous	p esons	n. avons	pesé
vous	p esez	v. avez	pesé
ils	p èsent	ils ont	pesé

Imparfait		Plus-que-parfait	
je	p esais	j' avais	pesé
tu	p esais	tu avais	pesé
il	p esait	il avait	pesé
nous	p esions	n. avions	pesé
vous	p esiez	v. aviez	pesé
ils	p esaient	ils avaient	pesé

Passé simple		Passé antérieur	
je	p esai	j' eus	pesé
tu	p esas	tu eus	pesé
il	p esa	il eut	pesé
nous	p esâmes	n. eûmes	pesé
vous	p esâtes	v. eûtes	pesé
ils	p esèrent	ils eurent	pesé

Futur simple		Futur antérieur	
je	p èserai	j' aurai	pesé
tu	p èseras	tu auras	pesé
il	p èsera	il aura	pesé
nous	p èserons	n. aurons	pesé
vous	p èserez	v. aurez	pesé
ils	p èseront	ils auront	pesé

SUBJONCTIF

Présent		Passé	
que je p èse		que j' aie	pesé
que tu p èses		que tu aies	pesé
qu'il p èse		qu'il ait	pesé
que n. p esions		que n. ayons	pesé
que v. p esiez		que v. ayez	pesé
qu'ils p èsent		qu'ils aient	pesé

Imparfait		Plus-que-parfait	
que je p esasse		que j' eusse	pesé
que tu p esasses		que tu eusses	pesé
qu'il p esât		qu'il eût	pesé
que n. p esassions		que n. eussions	pesé
que v. p esassiez		que v. eussiez	pesé
qu'ils p esassent		qu'ils eussent	pesé

IMPÉRATIF

Présent	Passé	
p èse	aie	pesé
p esons	ayons	pesé
p esez	ayez	pesé

CONDITIONNEL

Présent		Passé 1re forme	
je	p èserais	j' aurais	pesé
tu	p èserais	tu aurais	pesé
il	p èserait	il aurait	pesé
n.	p èserions	n. aurions	pesé
v.	p èseriez	v. auriez	pesé
ils	p èseraient	ils auraient	pesé

Passé 2e forme		
j'	eusse	pesé
tu	eusses	pesé
il	eût	pesé
n.	eussions	pesé
v.	eussiez	pesé
ils	eussent	pesé

INFINITIF

Présent	Passé
p eser	avoir pesé

PARTICIPE

Présent	Passé
p esant	p esé, ée
	ayant pesé

Verbes ayant un **é fermé** (é) à l'avant-dernière syllabe de l'infinitif

Verbes en : **-ébrer, -écer, -écher, -écrer, -éder, -égler, -égner, -égrer, -éguer, -éler, -émer, -éner, -érer, -éser, -éter, -étrer.**
Ces verbes qui ont un **é** fermé à l'avant-dernière syllabe de l'infinitif changent l'**é fermé** en **è ouvert** devant une syllabe muette finale : *Je cède.*
Au futur et au conditionnel, ces verbes conservent l'**é fermé** : *Je céderai, tu céderais,* malgré la tendance à prononcer cet **é** de plus en plus ouvert.

INDICATIF

Présent		Passé composé	
je	c ède	j' ai	cédé
tu	c èdes	tu as	cédé
il	c ède	il a	cédé
nous	c édons	n. avons	cédé
vous	c édez	v. avez	cédé
ils	c èdent	ils ont	cédé

Imparfait		Plus-que-parfait	
je	c édais	j' avais	cédé
tu	c édais	tu avais	cédé
il	c édait	il avait	cédé
nous	c édions	n. avions	cédé
vous	c édiez	v. aviez	cédé
ils	c édaient	ils avaient	cédé

Passé simple		Passé antérieur	
je	c édai	j' eus	cédé
tu	c édas	tu eus	cédé
il	c éda	il eut	cédé
nous	c édâmes	n. eûmes	cédé
vous	c édâtes	v. eûtes	cédé
ils	c édèrent	ils eurent	cédé

Futur simple		Futur antérieur	
je	c éderai	j' aurai	cédé
tu	c éderas	tu auras	cédé
il	c édera	il aura	cédé
nous	c éderons	n. aurons	cédé
vous	c éderez	v. aurez	cédé
ils	c éderont	ils auront	cédé

SUBJONCTIF

Présent		Passé	
que je	c ède	que j' aie	cédé
que tu	c èdes	que tu aies	cédé
qu'il	c ède	qu'il ait	cédé
que n.	c édions	que n. ayons	cédé
que v.	c édiez	que v. ayez	cédé
qu'ils	c èdent	qu'ils aient	cédé

Imparfait		Plus-que-parfait	
que je	c édasse	que j' eusse	cédé
que tu	c édasses	que tu eusses	cédé
qu'il	c édât	qu'il eût	cédé
que n.	c édassions	que n. eussions	cédé
que v.	c édassiez	que v. eussiez	cédé
qu'ils	c édassent	qu'ils eussent	cédé

IMPÉRATIF

Présent	Passé	
c ède	aie	cédé
c édons	ayons	cédé
c édez	ayez	cédé

CONDITIONNEL

Présent		Passé 1ʳᵉ forme	
je	c éderais	j' aurais	cédé
tu	c éderais	tu aurais	cédé
il	c éderait	il aurait	cédé
n.	c éderions	n. aurions	cédé
v.	c éderiez	v. auriez	cédé
ils	c éderaient	ils auraient	cédé

Passé 2ᵉ forme		
j'	eusse	cédé
tu	eusses	cédé
il	eût	cédé
n.	eussions	cédé
v.	eussiez	cédé
ils	eussent	cédé

INFINITIF

Présent	Passé
c éder	avoir cédé

PARTICIPE

Présent	Passé
c édant	c édé, ée
	ayant cédé

11 VERBES EN -ELER ou -ETER : JETER

1 Verbes doublant **l** ou **t** devant **e muet**

En règle générale, les verbes en **-eler** ou **-eter** doublent la consonne **l** ou **t** devant un **e muet** : *je jette, j'appelle.*
Un petit nombre ne doublent pas devant l'**e muet** la consonne **l** ou **t**, mais prennent un accent grave sur l'**e** qui précède l'**l** ou le **t** : *j'achète, je modèle* (v. en tête de la page suivante la liste de ces exceptions).

INDICATIF

Présent		Passé composé	
je	j ette	j' ai	jeté
tu	j ettes	tu as	jeté
il	j ette	il a	jeté
nous	j etons	n. avons	jeté
vous	j etez	v. avez	jeté
ils	j ettent	ils ont	jeté

Imparfait		Plus-que-parfait	
je	j etais	j' avais	jeté
tu	j etais	tu avais	jeté
il	j etait	il avait	jeté
nous	j etions	n. avions	jeté
vous	j etiez	v. aviez	jeté
ils	j etaient	ils avaient	jeté

Passé simple		Passé antérieur	
je	j etai	j' eus	jeté
tu	j etas	tu eus	jeté
il	j eta	il eut	jeté
nous	j etâmes	n. eûmes	jeté
vous	j etâtes	v. eûtes	jeté
ils	j etèrent	ils eurent	jeté

Futur simple		Futur antérieur	
je	j etterai	j' aurai	jeté
tu	j etteras	tu auras	jeté
il	j ettera	il aura	jeté
nous	j etterons	n. aurons	jeté
vous	j etterez	v. aurez	jeté
ils	j etteront	ils auront	jeté

SUBJONCTIF

Présent		Passé	
que je	j ette	que j'	aie	jeté
que tu	j ettes	que tu aies	jeté
qu'il	j ette	qu'il ait	jeté
que n.	j etions	que n. ayons	jeté
que v.	j etiez	que v. ayez	jeté
qu'ils	j ettent	qu'ils aient	jeté

Imparfait		Plus-que-parfait	
que je	j etasse	que j' eusse	jeté
que tu	j etasses	que tu eusses	jeté
qu'il	j etât	qu'il eût	jeté
que n.	j etassions	que n. eussions	jeté
que v.	j etassiez	que v. eussiez	jeté
qu'ils	j etassent	qu'ils eussent	jeté

IMPÉRATIF

Présent	Passé	
j ette	aie	jeté
j etons	ayons	jeté
j etez	ayez	jeté

CONDITIONNEL

Présent		Passé 1re forme	
je	j etterais	j'	aurais	jeté
tu	j etterais	tu aurais	jeté
il	j etterait	il aurait	jeté
n.	j etterions	n. aurions	jeté
v.	j etteriez	v. auriez	jeté
ils	j etteraient	ils auraient	jeté

Passé 2e forme		
j'	eusse	jeté
tu	eusses	jeté
il	eût	jeté
n.	eussions	jeté
v.	eussiez	jeté
ils	eussent	jeté

INFINITIF

Présent	Passé
j eter	avoir jeté

PARTICIPE

Présent	Passé
j etant	j eté, ée
	ayant jeté

2. Verbes changeant **e** en **è** devant syllabe muette

Quelques verbes ne doublent pas l'**l** ou le **t** devant e muet :
1. Verbes en **-eler** se conjuguant comme **je modèle** : *celer (déceler, receler), ciseler, démanteler, écarteler, s'encasteler, geler (dégeler, congeler, surgeler), marteler, modeler, peler.*
2. Verbes en **-eter** se conjuguant comme **j'achète** : *acheter (racheter), béagueter, corseter, crocheter, fileter, fureter, haleter.*

INDICATIF

Présent		Passé composé	
je	mod èle	j' ai	modelé
tu	mod èles	tu as	modelé
il	mod èle	il a	modelé
nous	mod elons	n. avons	modelé
vous	mod elez	v. avez	modelé
ils	mod èlent	ils ont	modelé

Imparfait		Plus-que-parfait	
je	mod elais	j' avais	modelé
tu	mod elais	tu avais	modelé
il	mod elait	il avait	modelé
nous	mod elions	n. avions	modelé
vous	mod eliez	v. aviez	modelé
ils	mod elaient	ils avaient	modelé

Passé simple		Passé antérieur	
je	mod elai	j' eus	modelé
tu	mod elas	tu eus	modelé
il	mod ela	il eut	modelé
nous	mod elâmes	n. eûmes	modelé
vous	mod elâtes	v. eûtes	modelé
ils	mod elèrent	ils eurent	modelé

Futur simple		Futur antérieur	
je	mod èlerai	j' aurai	modelé
tu	mod èleras	tu auras	modelé
il	mod èlera	il aura	modelé
nous	mod èlerons	n. aurons	modelé
vous	mod èlerez	v. aurez	modelé
ils	mod èleront	ils auront	modelé

SUBJONCTIF

Présent		Passé	
que je mod èle		que j' aie	modelé
que tu mod èles		que tu aies	modelé
qu'il mod èle		qu'il ait	modelé
que n. mod elions		que n. ayons	modelé
que v. mod eliez		que v. ayez	modelé
qu'ils mod èlent		qu'ils aient	modelé

Imparfait		Plus-que-parfait	
que je mod elasse		que j' eusse	modelé
que tu mod elasses		que tu eusses	modelé
qu'il mod elât		qu'il eût	modelé
que n. mod elassions		que n. eussions	modelé
que v. mod elassiez		que v. eussiez	modelé
qu'ils mod elassent		qu'ils eussent	modelé

IMPÉRATIF

Présent	Passé	
mod èle	aie	modelé
mod elons	ayons	modelé
mod elez	ayez	modelé

CONDITIONNEL

Présent	Passé 1re forme	
je mod èlerais	j' aurais	modelé
tu mod èlerais	tu aurais	modelé
il mod èlerait	il aurait	modelé
n. mod èlerions	n. aurions	modelé
v. mod èleriez	v. auriez	modelé
ils mod èleraient	ils auraient	modelé

Passé 2e forme	
j' eusse	modelé
tu eusses	modelé
il eût	modelé
n. eussions	modelé
v. eussiez	modelé
ils eussent	modelé

INFINITIF

Présent	Passé
mod eler	avoir modelé

PARTICIPE

Présent	Passé
mod elant	mod elé, ée
	ayant modelé

Ces verbes n'offrent d'autre particularité que la présence très régulière de deux **e** à certaines personnes de l'indicatif présent, du passé simple, du futur, du conditionnel, de l'impératif, du subjonctif, au participe passé masculin, et celle de trois **e** au participe passé féminin : *créée*.

Dans les verbes en **-éer**, l'**é** reste toujours fermé : *Je crée, tu crées...*

INDICATIF

Présent		Passé composé	
je	cr ée	j' ai	créé
tu	cr ées	tu as	créé
il	cr ée	il a	créé
nous	cr éons	n. avons	créé
vous	cr éez	v. avez	créé
ils	cr éent	ils ont	créé

Imparfait		Plus-que-parfait	
je	cr éais	j' avais	créé
tu	cr éais	tu avais	créé
il	cr éait	il avait	créé
nous	cr éions	n. avions	créé
vous	cr éiez	v. aviez	créé
ils	cr éaient	ils avaient	créé

Passé simple		Passé antérieur	
je	cr éai	j' eus	créé
tu	cr éas	tu eus	créé
il	cr éa	il eut	créé
nous	cr éâmes	n. eûmes	créé
vous	cr éâtes	v. eûtes	créé
ils	cr éèrent	ils eurent	créé

Futur simple		Futur antérieur	
je	cr éerai	j' aurai	créé
tu	cr éeras	tu auras	créé
il	cr éera	il aura	créé
nous	cr éerons	n. aurons	créé
vous	cr éerez	v. aurez	créé
ils	cr éeront	ils auront	créé

SUBJONCTIF

Présent		Passé	
que je cr ée		que j' aie	créé
que tu cr ées		que tu aies	créé
qu'il cr ée		qu'il ait	créé
que n. cr éions		que n. ayons	créé
que v. cr éiez		que v. ayez	créé
qu'ils cr éent		qu'ils aient	créé

Imparfait		Plus-que-parfait	
que je cr éasse		que j' eusse	créé
que tu cr éasses		que tu eusses	créé
qu'il cr éât		qu'il eût	créé
que n. cr éassions		que n. eussions	créé
que v. cr éassiez		que v. eussiez	créé
qu'ils cr éassent		qu'ils eussent	créé

IMPÉRATIF

Présent	Passé	
cr ée	aie	créé
cr éons	ayons	créé
cr éez	ayez	créé

CONDITIONNEL

Présent		Passé 1re forme	
je	cr éerais	j' aurais	créé
tu	cr éerais	tu aurais	créé
il	cr éerait	il aurait	créé
n.	cr éerions	n. aurions	créé
v.	cr éeriez	v. auriez	créé
ils	cr éeraient	ils auraient	créé

Passé 2e forme		
j'	eusse	créé
tu	eusses	créé
il	eût	créé
n.	eussions	créé
v.	eussiez	créé
ils	eussent	créé

INFINITIF

Présent	Passé
cr éer	avoir créé

PARTICIPE

Présent	Passé
cr éant	cr éé, éée
	ayant créé

Dans les verbes en **-éger :**
1. L'**é** du radical se change en **è** devant un **e muet** (sauf au futur et au conditionnel).
2. Pour conserver partout le son du **g doux,** on maintient l'**e** après le **g** devant les voyelles **a** et **o.**

INDICATIF

Présent		Passé composé	
j'	assi ège	j' ai	assiégé
tu	assi èges	tu as	assiégé
il	assi ège	il a	assiégé
nous	assi égeons	n. avons	assiégé
vous	assi égez	v. avez	assiégé
ils	assi ègent	ils ont	assiégé

Imparfait		Plus-que-parfait	
j'	assi égeais	j' avais	assiégé
tu	assi égeais	tu avais	assiégé
il	assi égeait	il avait	assiégé
nous	assi égions	n. avions	assiégé
vous	assi égiez	v. aviez	assiégé
ils	assi égeaient	ils avaient	assiégé

Passé simple		Passé antérieur	
j'	assi égeai	j' eus	assiégé
tu	assi égeas	tu eus	assiégé
il	assi égea	il eut	assiégé
nous	assi égeâmes	n. eûmes	assiégé
vous	assi égeâtes	v. eûtes	assiégé
ils	assi égèrent	ils eurent	assiégé

Futur simple		Futur antérieur	
j'	assi égerai	j' aurai	assiégé
tu	assi égeras	tu auras	assiégé
il	assi égera	il aura	assiégé
nous	assi égerons	n. aurons	assiégé
vous	assi égerez	v. aurez	assiégé
ils	assi égeront	ils auront	assiégé

SUBJONCTIF

Présent		Passé	
que j' assi ège		que j' aie	assiégé
que tu assi èges		que tu aies	assiégé
qu'il assi ège		qu'il ait	assiégé
que n. assi égions		que n. ayons	assiégé
que v. assi égiez		que v. ayez	assiégé
qu'ils assi ègent		qu'ils aient	assiégé

Imparfait		Plus-que-parfait	
que j' assi égeasse		que j' eusse	assiégé
que tu assi égeasses		que tu eusses	assiégé
qu'il assi égeât		qu'il eût	assiégé
que n. assi égeassions		que n. eussions	assiégé
que v. assi égeassiez		que v. eussiez	assiégé
qu'ils assi égeassent		qu'ils eussent	assiégé

IMPÉRATIF

Présent	Passé	
assi ège	aie	assiégé
assi égeons	ayons	assiégé
assi égez	ayez	assiégé

CONDITIONNEL

Présent	Passé 1re forme	
j' assi égerais	j' aurais	assiégé
tu assi égerais	tu aurais	assiégé.
il assi égerait	il aurait	assiégé
n. assi égerions	n. aurions	assiégé
v. assi égeriez	v. auriez	assiégé
ils assi égeraient	ils auraient	assiégé

Passé 2e forme	
j' eusse	assiégé
tu eusses	assiégé
il eût	assiégé
n. eussions	assiégé
v. eussiez	assiégé
ils eussent	assiégé

INFINITIF

Présent	Passé
assi éger	avoir assiégé

PARTICIPE

Présent	Passé
assi égeant	assi égé, ée
	ayant assiégé

15 VERBES EN -IER : APPRÉCIER

Ces verbes n'offrent d'autre particularité que les deux i à la 1re et à la 2e personne du pluriel de l'imparfait de l'indicatif et du présent du subjonctif : *appréciions, appréciiez*. Ces deux i proviennent de la rencontre de l'i final du radical qui se maintient dans toute la conjugaison, avec l'i initial de la terminaison.

INDICATIF

Présent		Passé composé	
j'	appréci e	j' ai	apprécié
tu	appréci es	tu as	apprécié
il	appréci e	il a	apprécié
nous	appréci ons	n. avons	apprécié
vous	appréci ez	v. avez	apprécié
ils	appréci ent	ils ont	apprécié

Imparfait		Plus-que-parfait	
j'	appréci ais	j' avais	apprécié
tu	appréci ais	tu avais	apprécié
il	appréci ait	il avait	apprécié
nous	appréci ions	n. avions	apprécié
vous	appréci iez	v. aviez	apprécié
ils	appréci aient	ils avaient	apprécié

Passé simple		Passé antérieur	
j'	appréci ai	j' eus	apprécié
tu	appréci as	tu eus	apprécié
il	appréci a	il eut	apprécié
nous	appréci âmes	n. eûmes	apprécié
vous	appréci âtes	v. eûtes	apprécié
ils	appréci èrent	ils eurent	apprécié

Futur simple		Futur antérieur	
j'	appréci erai	j' aurai	apprécié
tu	appréci eras	tu auras	apprécié
il	appréci era	il aura	apprécié
nous	appréci erons	n. aurons	apprécié
vous	appréci erez	v. aurez	apprécié
ils	appréci eront	ils auront	apprécié

SUBJONCTIF

Présent		Passé	
que j'	appréci e	que j' aie	apprécié
que tu	appréci es	que tu aies	apprécié
qu'il	appréci e	qu'il ait	apprécié
que n.	appréci ions	que n. ayons	apprécié
que v.	appréci iez	que v. ayez	apprécié
qu'ils	appréci ent	qu'ils aient	apprécié

Imparfait		Plus-que-parfait	
que j'	appréci asse	que j' eusse	apprécié
que tu	appréci asses	que tu eusses	apprécié
qu'il	appréci ât	qu'il eût	apprécié
que n.	appréci assions	que n. eussions	apprécié
que v.	appréci assiez	que v. eussiez	apprécié
qu'ils	appréci assent	qu'ils eussent	apprécié

IMPÉRATIF

Présent	Passé	
appréci e	aie	apprécié
appréci ons	ayons	apprécié
appréci ez	ayez	apprécié

CONDITIONNEL

Présent	Passé 1re forme	
j' appréci erais	j' aurais	apprécié
tu appréci erais	tu aurais	apprécié
il appréci erait	il aurait	apprécié
n. appréci erions	n. aurions	apprécié
v. appréci eriez	v. auriez	apprécié
ils appréci eraient	ils auraient	apprécié

Passé 2e forme	
j' eusse	apprécié
tu eusses	apprécié
il eût	apprécié
n. eussions	apprécié
v. eussiez	apprécié
ils eussent	apprécié

INFINITIF

Présent	Passé
appréci er	avoir apprécié

PARTICIPE

Présent	Passé
appréci ant	appréci é, ée
	ayant apprécié

Les verbes en **-ayer** peuvent : 1. conserver l'**y** dans toute la conjugaison; 2. remplacer l'**y** par un **i** devant un **e muet**, c'est-à-dire devant les terminaisons : **e, es, ent, erai, erais** : *je paye* (prononcer *pey*) ou *je paie* (prononcer *pé*).
Remarquer la présence de l'**i** après y aux deux premières personnes du pluriel à l'imparfait de l'indicatif et au présent du subjonctif.

INDICATIF

Présent		Passé composé	
je	p aie	j' ai	payé
tu	p aies	tu as	payé
il	p aie	il a	payé
nous	p ayons	n. avons	payé
vous	p ayez	v. avez	payé
ils	p aient	ils ont	payé

ou		Plus-que-parfait	
je	p aye	j' avais	payé
tu	p ayes	tu avais	payé
il	p aye	il avait	payé
nous	p ayons	n. avions	payé
vous	p ayez	v. aviez	payé
ils	p ayent	ils avaient	payé

Imparfait		Passé antérieur	
je	p ayais	j' eus	payé
tu	p ayais	tu eus	payé
il	p ayait	il eut	payé
nous	p ayions	n. eûmes	payé
vous	p ayiez	v. eûtes	payé
ils	p ayaient	ils eurent	payé

Passé simple		Futur antérieur	
je	p ayai	j' aurai	payé
tu	p ayas	tu auras	payé
il	p aya	il aura	payé
nous	p ayâmes	n. aurons	payé
vous	p ayâtes	v. aurez	payé
ils	p ayèrent	ils auront	payé

Futur simple	
je	p aierai
tu	p aieras
il	p aiera
nous	p aierons
vous	p aierez
ils	p aieront

ou	
je	p ayerai
tu	p ayeras
il	p ayera
nous	p ayerons
vous	p ayerez
ils	p ayeront

SUBJONCTIF

Présent		Passé	
que je	p aie	que j'	aie	payé
que tu	p aies	que tu	aies	payé
qu'il	p aie	qu'il	ait	payé
que n.	p ayions	que n.	ayons	payé
que v.	p ayiez	que v.	ayez	payé
qu'ils	p aient	qu'ils	aient	payé

ou		Plus-que-parfait	
que je	p aye	que j'	eusse	payé
que tu	p ayes	que tu	eusses	payé
qu'il	p aye	qu'il	eût	payé
que n.	p ayions	que n.	eussions	payé
que v.	p ayiez	que v.	eussiez	payé
qu'ils	p ayent	qu'ils	eussent	payé

Imparfait	
que je	p ayasse
que tu	p ayasses
qu'il	p ayât
que n.	p ayassions
que v.	p ayassiez
qu'ils	p ayassent

IMPÉRATIF

Présent	Passé
p aye *ou* paie	aie payé
p ayons	ayons payé
p ayez	ayez payé

INFINITIF

Présent : p ayer
Passé : avoir payé

PARTICIPE

Présent : p ayant

Passé
p ayé, ée
ayant payé

CONDITIONNEL

Présent		*ou*	
je	p aierais	je	p ayerais
tu	p aierais	tu	p ayerais
il	p aierait	il	p ayerait
n.	p aierions	n.	p ayerions
v.	p aieriez	v.	p ayeriez
ils	p aieraient	ils	p ayeraient

Passé 1ʳᵉ forme		Passé 2ᵉ forme	
j'	aurais payé	j'	eusse payé
tu	aurais payé	tu	eusses payé
il	aurait payé, etc.	il	eût payé, etc.

Les verbes en **-oyer** et **-uyer** changent l'**y** du radical en **i** devant un **e muet** (terminaisons **e, es, ent, erai, erais**). *Exception :* **envoyer** et **renvoyer**, qui sont irréguliers au futur et au conditionnel (v. page suivante).
Remarquer la présence de l'**i** après **y** aux deux premières personnes du pluriel à l'imparfait de l'indicatif et au présent du subjonctif.

INDICATIF

Présent		*Passé composé*	
je	br oie	j' ai	broyé
tu	br oies	tu as	broyé
il	br oie	il a	broyé
nous	br oyons	n. avons	broyé
vous	br oyez	v. avez	broyé
ils	br oient	ils ont	broyé

Imparfait		*Plus-que-parfait*	
je	br oyais	j' avais	broyé
tu	br oyais	tu avais	broyé
il	br oyait	il avait	broyé
nous	br oyions	n. avions	broyé
vous	br oyiez	v. aviez	broyé
ils	br oyaient	ils avaient	broyé

Passé simple		*Passé antérieur*	
je	br oyai	j' eus	broyé
tu	br oyas	tu eus	broyé
il	br oya	il eut	broyé
nous	br oyâmes	n. eûmes	broyé
vous	br oyâtes	v. eûtes	broyé
ils	br oyèrent	ils eurent	broyé

Futur simple		*Futur antérieur*	
je	br oierai	j' aurai	broyé
tu	br oieras	tu auras	broyé
il	br oiera	il aura	broyé
nous	br oierons	n. aurons	broyé
vous	br oierez	v. aurez	broyé
ils	br oieront	ils auront	broyé

SUBJONCTIF

Présent		*Passé*	
que je br oie		que j' aie	broyé
que tu br oies		que tu aies	broyé
qu'il br oie		qu'il ait	broyé
que n. br oyions		que n. ayons	broyé
que v. br oyiez		que v. ayez	broyé
qu'ils br oient		qu'ils aient	broyé

Imparfait		*Plus-que-parfait*	
que je br oyasse		que j' eusse	broyé
que tu br oyasses		que tu eusses	broyé
qu'il br oyât		qu'il eût	broyé
que n. br oyassions		que n. eussions	broyé
que v. br oyassiez		que v. eussiez	broyé
qu'ils br oyassent		qu'ils eussent	broyé

IMPÉRATIF

Présent	*Passé*	
br oie	aie	broyé
br oyons	ayons	broyé
br oyez	ayez	broyé

CONDITIONNEL

Présent		*Passé 1re forme*	
je	br oierais	j' aurais	broyé
tu	br oierais	tu aurais	broyé
il	br oierait	il aurait	broyé
n.	br oierions	n. aurions	broyé
v.	br oieriez	v. auriez	broyé
ils	br oieraient	ils auraient	broyé

Passé 2e forme		
j'	eusse	broyé
tu	eusses	broyé
il	eût	broyé
n.	eussions	broyé
v.	eussiez	broyé
ils	eussent	broyé

INFINITIF

Présent	*Passé*
br oyer	avoir broyé

PARTICIPE

Présent	*Passé*
br oyant	br oyé, ée
	ayant broyé

INDICATIF

Présent

j'	envoie
tu	envoies
il	envoie
nous	envoyons
vous	envoyez
ils	envoient

Passé composé

j'	ai	envoyé
tu	as	envoyé
il	a	envoyé
n.	avons	envoyé
v.	avez	envoyé
ils	ont	envoyé

Imparfait

j'	envoyais
tu	envoyais
il	envoyait
nous	envoyions
vous	envoyiez
ils	envoyaient

Plus-que-parfait

j'	avais	envoyé
tu	avais	envoyé
il	avait	envoyé
n.	avions	envoyé
v.	aviez	envoyé
ils	avaient	envoyé

Passé simple

j'	envoyai
tu	envoyas
il	envoya
nous	envoyâmes
vous	envoyâtes
ils	envoyèrent

Passé antérieur

j'	eus	envoyé
tu	eus	envoyé
il	eut	envoyé
n.	eûmes	envoyé
v.	eûtes	envoyé
ils	eurent	envoyé

Futur simple

j'	enverrai
tu	enverras
il	enverra
nous	enverrons
vous	enverrez
ils	enverront

Futur antérieur

j'	aurai	envoyé
tu	auras	envoyé
il	aura	envoyé
n.	aurons	envoyé
v.	aurez	envoyé
ils	auront	envoyé

SUBJONCTIF

Présent

que j'	envoie
que tu	envoies
qu'il	envoie
que n.	envoyions
que v.	envoyiez
qu'ils	envoient

Passé

que j'	aie	envoyé
que tu	aies	envoyé
qu'il	ait	envoyé
que n.	ayons	envoyé
que v.	ayez	envoyé
qu'ils	aient	envoyé

Imparfait

que j'	envoyasse
que tu	envoyasses
qu'il	envoyât
que n.	envoyassions
que v.	envoyassiez
qu'ils	envoyassent

Plus-que-parfait

que j'	eusse	envoyé
que tu	eusses	envoyé
qu'il	eût	envoyé
que n.	eussions	envoyé
que v.	eussiez	envoyé
qu'ils	eussent	envoyé

IMPÉRATIF

Présent

envoie
envoyons
envoyez

Passé

aie envoyé
ayons envoyé
ayez envoyé

CONDITIONNEL

Présent

j'	enverrais
tu	enverrais
il	enverrait
n.	enverrions
v.	enverriez
ils	enverraient

Passé 1re forme

j'	aurais	envoyé
tu	aurais	envoyé
il	aurait	envoyé
n.	aurions	envoyé
v.	auriez	envoyé
ils	auraient	envoyé

Passé 2e forme

j'	eusse	envoyé
tu	eusses	envoyé
il	eût	envoyé
n.	eussions	envoyé
v.	eussiez	envoyé
ils	eussent	envoyé

INFINITIF

Présent

envoyer

Passé

avoir envoyé

PARTICIPE

Présent

envoyant

Passé

envoyé, ée
ayant envoyé

Ainsi se conjugue **renvoyer**.

19 DEUXIÈME GROUPE

VERBES EN -IR/ISSANT : FINIR
Infinitif présent en -ir; participe présent en -issant[1]

INDICATIF

Présent		Passé composé		
je	fin is	j'	ai	fini
tu	fin is	tu	as	fini
il	fin it	il	a	fini
nous	fin issons	n.	avons	fini
vous	fin issez	v.	avez	fini
ils	fin issent	ils	ont	fini

Imparfait		Plus-que-parfait		
je	fin issais	j'	avais	fini
tu	fin issais	tu	avais	fini
il	fin issait	il	avait	fini
nous	fin issions	n.	avions	fini
vous	fin issiez	v.	aviez	fini
ils	fin issaient	ils	avaient	fini

Passé simple		Passé antérieur		
je	fin is	j'	eus	fini
tu	fin is	tu	eus	fini
il	fin it	il	eut	fini
nous	fin îmes	n.	eûmes	fini
vous	fin îtes	v.	eûtes	fini
ils	fin irent	ils	eurent	fini

Futur simple		Futur antérieur		
je	fin irai	j'	aurai	fini
tu	fin iras	tu	auras	fini
il	fin ira	il	aura	fini
nous	fin irons	n.	aurons	fini
vous	fin irez	v.	aurez	fini
ils	fin iront	ils	auront	fini

INFINITIF

Présent	Passé
fin ir	avoir fini

SUBJONCTIF

Présent		Passé		
que je fin isse		que j'	aie	fini
que tu fin isses		que tu	aies	fini
qu'il fin isse		qu'il	ait	fini
que n. fin issions		que n.	ayons	fini
que v. fin issiez		que v.	ayez	fini
qu'ils fin issent		qu'ils	aient	fini

Imparfait		Plus-que-parfait		
que je fin isse		que j'	eusse	fini
que tu fin isses		que tu	eusses	fini
qu'il fin ît		qu'il	eût	fini
que n. fin issions		que n.	eussions	fini
que v. fin issiez		que v.	eussiez	fini
qu'ils fin issent		qu'ils	eussent	fini

IMPÉRATIF

Présent	Passé	
fin is	aie	fini
fin issons	ayons	fini
fin issez	ayez	fini

CONDITIONNEL

Présent		Passé 1re forme		
je	fin irais	j'	aurais	fini
tu	fin irais	tu	aurais	fini
il	fin irait	il	aurait	fini
n.	fin irions	n.	aurions	fini
v.	fin iriez	v.	auriez	fini
ils	fin iraient	ils	auraient	fini

Passé 2e forme		
j'	eusse	fini
tu	eusses	fini
il	eût	fini
n.	eussions	fini
v.	eussiez	fini
ils	eussent	fini

PARTICIPE

Présent	Passé
fin issant	fin i, ie
	ayant fini

---

1. Ainsi se conjuguent environ 300 verbes en -ir, -issant, qui, avec les verbes en -er, forment la conjugaison vivante.

Haïr est le seul verbe de cette terminaison; il prend un tréma sur l'**i** dans toute sa conjugaison, excepté aux trois personnes du singulier du présent de l'indicatif, et à la deuxième personne du singulier de l'impératif. Le tréma exclut l'accent circonflexe au passé simple et au subjonctif imparfait.

INDICATIF

Présent		Passé composé	
je	hais	j' ai	haï
tu	hais	tu as	haï
il	hait	il a	haï
nous	haïssons	n. avons	haï
vous	haïssez	v. avez	haï
ils	haïssent	ils ont	haï

Imparfait		Plus-que-parfait	
je	haïssais	j' avais	haï
tu	haïssais	tu avais	haï
il	haïssait	il avait	haï
nous	haïssions	n. avions	haï
vous	haïssiez	v. aviez	haï
ils	haïssaient	ils avaient	haï

Passé simple		Passé antérieur	
je	haïs	j' eus	haï
tu	haïs	tu eus	haï
il	haït	il eut	haï
nous	haïmes	n. eûmes	haï
vous	haïtes	v. eûtes	haï
ils	haïrent	ils eurent	haï

Futur simple		Futur antérieur	
je	haïrai	j' aurai	haï
tu	haïras	tu auras	haï
il	haïra	il aura	haï
nous	haïrons	n. aurons	haï
vous	haïrez	v. aurez	haï
ils	haïront	ils auront	haï

SUBJONCTIF

Présent		Passé	
que je haïsse		que j' aie	haï
que tu haïsses		que tu aies	haï
qu'il haïsse		qu'il ait	haï
que n. haïssions		que n. ayons	haï
que v. haïssiez		que v. ayez	haï
qu'ils haïssent		qu'ils aient	haï

Imparfait		Plus-que-parfait	
que je haïsse		que j' eusse	haï
que tu haïsses		que tu eusses	haï
qu'il haït		qu'il eût	haï
que n. haïssions		que n. eussions	haï
que v. haïssiez		que v. eussiez	haï
qu'ils haïssent		qu'ils eussent	haï

IMPÉRATIF

Présent	Passé	
hais	aie	haï
haïssons	ayons	haï
haïssez	ayez	haï

CONDITIONNEL

Présent		Passé 1re forme	
je	haïrais	j'	aurais haï
tu	haïrais	tu	aurais haï
il	haïrait	il	aurait haï
n.	haïrions	n.	aurions haï
v.	haïriez	v.	auriez haï
ils	haïraient	ils	auraient haï

Passé 2e forme		
j'	eusse	haï
tu	eusses	haï
il	eût	haï
n.	eussions	haï
v.	eussiez	haï
ils	eussent	haï

INFINITIF

Présent	Passé
haïr	avoir haï

PARTICIPE

Présent	Passé
haïssant	haï, ie
	ayant haï

Le 3e groupe comprend :

1. **Le verbe** aller (tableau 22).

2. **Les verbes en** -ir qui ont le participe présent en **-ant**, et non en **-issant** (tableaux 23 à 37).

3. **Tous les verbes en** -oir (tableaux 38 à 52).

4. **Tous les verbes en** -re (tableaux 53 à 82).

Les soixante tableaux suivants permettent de conjuguer les quelques trois cent cinquante verbes du 3e groupe dont la liste est donnée pages 102 et 103; ils y sont classés par terminaisons et par référence au verbe type dont ils épousent les particularités de conjugaison. Ainsi se trouve exactement circonscrite cette conjugaison morte qui par sa complexité et ses singularités constitue la difficulté majeure du système verbal français.

Trois traits généraux peuvent cependant en être dégagés.

1. Le passé simple, dans le 3e groupe, est tantôt en *is : je fis, je dormis,* tantôt en *us : je valus; tenir* et *venir* font : *je tins, je vins.*

2. Le participe passé est tantôt en *i : dormi, senti, servi,* tantôt en *u : valu, tenu, venu,* etc. Dans un certain nombre de verbes appartenant à ce groupe, le participe passé n'a pas à proprement parler de terminaison et n'est qu'une modification du radical : *né, pris, fait, dit,* etc.

3. Au présent de l'indicatif, de l'impératif, du subjonctif on observe parfois une alternance vocalique qui oppose aux autres personnes les 1re et 2e personnes du pluriel : *nous* **te**nons, *vous* **te**nez, alternant avec *je* **tien**s, *tu* **tien**s, *il* **tien**t, *ils* **tien**nent. Cette modification du radical s'explique par le fait qu'en latin l'accent tonique frappait tantôt le radical (*ám-o* : radical fort) tantôt la terminaison (*am-ámus* : radical faible). Comme les syllabes ont évolué différemment selon qu'elles étaient accentuées ou atones, tous les verbes français devraient présenter une alternance de ce type. Mais l'analogie a généralisé tantôt le radical fort (*j'aime, nous aimons* au lieu de *nous amons*) plus rarement le radical faible (*nous trouvons, je trouve* au lieu de *je treuve*). Cependant d'assez nombreux verbes ont gardé trace de cette alternance tonique, rarement au 1er groupe : *je sème, nous semons,* plus fréquemment au 3e : voir entre autres : *j'acquiers/nous acquérons, je reçois/nous recevons, je meurs/nous mourons, je bois/nous buvons, je fais/nous faisons* (prononcé *fe*). Il n'est pour s'en rendre compte que de parcourir les tableaux suivants où les premières personnes du singulier et du pluriel, notées en rouge, soulignent cette particularité.

INDICATIF

Présent		Passé composé	
je	vais	je suis	allé
tu	vas	tu es	allé
il	va	il est	allé
nous	allons	n. sommes	allés
vous	allez	v. êtes	allés
ils	vont	ils sont	allés

Imparfait		Plus-que-parfait	
j'	allais	j' étais	allé
tu	allais	tu étais	allé
il	allait	il était	allé
nous	allions	n. étions	allés
vous	alliez	v. étiez	allés
ils	allaient	ils étaient	allés

Passé simple		Passé antérieur	
j'	allai	je fus	allé
tu	allas	tu fus	allé
il	alla	il fut	allé
nous	allâmes	n. fûmes	allés
vous	allâtes	v. fûtes	allés
ils	allèrent	ils furent	allés

Futur simple		Futur antérieur	
j'	irai	je serai	allé
tu	iras	tu seras	allé
il	ira	il sera	allé
nous	irons	n. serons	allés
vous	irez	v. serez	allés
ils	iront	ils seront	allés

SUBJONCTIF

Présent	Passé	
que j' aille	que je sois	allé
que tu ailles	que tu sois	allé
qu'il aille	qu'il soit	allé
que n. allions	que n. soyons	allés
que v. alliez	que v. soyez	allés
qu'ils aillent	qu'ils soient	allés

Imparfait	Plus-que-parfait	
que j' allasse	que je fusse	allé
que tu allasses	que tu fusses	allé
qu'il allât	qu'il fût	allé
que n. allassions	que n. fussions	allés
que v. allassiez	que v. fussiez	allés
qu'ils allassent	qu'ils fussent	allés

IMPÉRATIF

Présent	Passé	
va	sois	allé
allons	soyons	allés
allez	soyez	allés

CONDITIONNEL

Présent		Passé 1re forme	
j'	irais	je	serais	allé
tu	irais	tu	serais	allé
il	irait	il	serait	allé
n.	irions	n.	serions	allés
v.	iriez	v.	seriez	allés
ils	iraient	ils	seraient	allés

Passé 2e forme		
je	fusse	allé
tu	fusses	allé
il	fût	allé
n.	fussions	allés
v.	fussiez	allés
ils	fussent	allés

INFINITIF

Présent	Passé
aller	être allé

PARTICIPE

Présent	Passé
allant	allé, ée
	étant allé

Le verbe **aller** se conjugue sur trois radicaux distincts : le radical **va** (*je vais, tu vas, il va*, impératif : *va*); le radical **-ir** au futur et au conditionnel : *j'irai, j'irais*; ailleurs le radical de l'infinitif **all-**. A l'impératif, devant **en** et **y**, pronoms adverbiaux non suivis d'un infinitif, **va** prend un **s** : *vas-y*, mais *va en chercher d'autres*. A la forme interrogative on écrit *va-t-il?* comme *aima-t-il?*

S'en aller se conjugue comme **aller**. Aux temps composés on met l'auxiliaire **être** entre *en* et *allé* : *je m'en suis allé* et non *je me suis en allé*. L'impératif est : *va-t'en* (avec élision de l'*e* du pronom réfléchi **te**), *allons-nous-en, allez-vous-en*.

INDICATIF

Présent		Passé composé	
je	t iens	j' ai	tenu
tu	t iens	tu as	tenu
il	t ient	il a	tenu
nous	t enons	n. avons	tenu
vous	t enez	v. avez	tenu
ils	t iennent	ils ont	tenu

Imparfait		Plus-que-parfait	
je	t enais	j' avais	tenu
tu	t enais	tu avais	tenu
il	t enait	il avait	tenu
nous	t enions	n. avions	tenu
vous	t eniez	v. aviez	tenu
ils	t enaient	ils avaient	tenu

Passé simple		Passé antérieur	
je	t ins	j' eus	tenu
tu	t ins	tu eus	tenu
il	t int	il eut	tenu
nous	t înmes	n. eûmes	tenu
vous	t întes	v. eûtes	tenu
ils	t inrent	ils eurent	tenu

Futur simple		Futur antérieur	
je	t iendrai	j' aurai	tenu
tu	t iendras	tu auras	tenu
il	t iendra	il aura	tenu
nous	t iendrons	n. aurons	tenu
vous	t iendrez	v. aurez	tenu
ils	t iendront	ils auront	tenu

SUBJONCTIF

Présent		Passé	
que je	t ienne	que j' aie	tenu
que tu	t iennes	que tu aies	tenu
qu'il	t ienne	qu'il ait	tenu
que n.	t enions	que n. ayons	tenu
que v.	t eniez	que v. ayez	tenu
qu'ils	t iennent	qu'ils aient	tenu

Imparfait		Plus-que-parfait	
que je	t insse	que j' eusse	tenu
que tu	t insses	que tu eusses	tenu
qu'il	t înt	qu'il eût	tenu
que n.	t inssions	que n. eussions tenu	
que v.	t inssiez	que v. eussiez	tenu
qu'ils	t inssent	qu'ils eussent	tenu

IMPÉRATIF

Présent	Passé	
t iens	aie	tenu
t enons	ayons	tenu
t enez	ayez	tenu

CONDITIONNEL

Présent		Passé 1re forme	
je	t iendrais	j'	aurais tenu
tu	t iendrais	tu	aurais tenu
il	t iendrait	il	aurait tenu
n.	t iendrions	n.	aurions tenu
v.	t iendriez	v.	auriez tenu
ils	t iendraient	ils	auraient tenu

Passé 2e forme		
j'	eusse	tenu
tu	eusses	tenu
il	eût	tenu
n.	eussions tenu	
v.	eussiez	tenu
ils	eussent	tenu

INFINITIF

Présent	Passé
t enir	avoir tenu

PARTICIPE

Présent	Passé
t enant	t enu, ue
	ayant tenu

Ainsi se conjuguent **tenir, venir** et leurs composés (page 102). **Venir** et ses composés prennent l'auxiliaire **être,** sauf *circonvenir, convenir, prévenir, subvenir.*

INDICATIF

Présent		**Passé composé**	
j'	acqu iers	j' ai	acquis
tu	acqu iers	tu as	acquis
il	acqu iert	il a	acquis
nous	acqu érons	n. avons	acquis
vous	acqu érez	v. avez	acquis
ils	acqu ièrent	ils ont	acquis

Imparfait		**Plus-que-parfait**	
j'	acqu érais	j' avais	acquis
tu	acqu érais	tu avais	acquis
il	acqu érait	il avait	acquis
nous	acqu érions	n. avions	acquis
vous	acqu ériez	v. aviez	acquis
ils	acqu éraient	ils avaient	acquis

Passé simple		**Passé antérieur**	
j'	acqu is	j' eus	acquis
tu	acqu is	tu eus	acquis
il	acqu it	il eut	acquis
nous	acqu îmes	n. eûmes	acquis
vous	acqu îtes	v. eûtes	acquis
ils	acqu irent	ils eurent	acquis

Futur simple		**Futur antérieur**	
j'	acqu errai	j' aurai	acquis
tu	acqu erras	tu auras	acquis
il	acqu erra	il aura	acquis
nous	acqu errons	n. aurons	acquis
vous	acqu errez	v. aurez	acquis
ils	acqu erront	ils auront	acquis

SUBJONCTIF

Présent		**Passé**	
que j'	acqu ière	que j' aie	acquis
que tu	acqu ières	que tu aies	acquis
qu'il	acqu ière	qu'il ait	acquis
que n.	acqu érions	que n. ayons	acquis
que v.	acqu ériez	que v. ayez	acquis
qu'ils	acqu ièrent	qu'ils aient	acquis

Imparfait		**Plus-que-parfait**	
que j'	acqu isse	que j' eusse	acquis
que tu	acqu isses	que tu eusses	acquis
qu'il	acqu ît	qu'il eût	acquis
que n.	acqu issions	que n. eussions	acquis
que v.	acqu issiez	que v. eussiez	acquis
qu'ils	acqu issent	qu'ils eussent	acquis

IMPÉRATIF

Présent	**Passé**	
acqu iers	aie	acquis
acqu érons	ayons	acquis
acqu érez	ayez	acquis

CONDITIONNEL

Présent	**Passé 1ʳᵉ forme**	
j' acqu errais	j' aurais	acquis
tu acqu errais	tu aurais	acquis
il acqu errait	il aurait	acquis
n. acqu errions	n. aurions	acquis
v. acqu erriez	v. auriez	acquis
ils acqu erraient	ils auraient	acquis

Passé 2ᵉ forme	
j' eusse	acquis
tu eusses	acquis
il eût	acquis
n. eussions	acquis
v. eussiez	acquis
ils eussent	acquis

INFINITIF

Présent	**Passé**
acqu érir	avoir acquis

PARTICIPE

Présent	**Passé**
acqu érant	acqu is, ise
	ayant acquis

Ainsi se conjuguent les composés de **quérir** (page 102).

INDICATIF

Présent		Passé composé	
je	sen s	j' ai	senti
tu	sen s	tu as	senti
il	sen t	il a	senti
nous	sen tons	n. avons	senti
vous	sen tez	v. avez	senti
ils	sen tent	ils ont	senti

Imparfait		Plus-que-parfait	
je	sen tais	j' avais	senti
tu	sen tais	tu avais	senti
il	sen tait	il avait	senti
nous	sen tions	n. avions	senti
vous	sen tiez	v. aviez	senti
ils	sen taient	ils avaient	senti

Passé simple		Passé antérieur	
je	sen tis	j' eus	senti
tu	sen tis	tu eus	senti
il	sen tit	il eut	senti
nous	sen tîmes	n. eûmes	senti
vous	sen tîtes	v. eûtes	senti
ils	sen tirent	ils eurent	senti

Futur simple		Futur antérieur	
je	sen tirai	j' aurai	senti
tu	sen tiras	tu auras	senti
il	sen tira	il aura	senti
nous	sen tirons	n. aurons	senti
vous	sen tirez	v. aurez	senti
ils	sen tiront	ils auront	senti

SUBJONCTIF

Présent		Passé	
que je sen te		que j' aie	senti
que tu sen tes		que tu aies	senti
qu'il sen te		qu'il ait	senti
que n. sen tions		que n. ayons	senti
que v. sen tiez		que v. ayez	senti
qu'ils sen tent		qu'ils aient	senti

Imparfait		Plus-que-parfait	
que je sen tisse		que j' eusse	senti
que tu sen tisses		que tu eusses	senti
qu'il sen tît		qu'il eût	senti
que n. sen tissions		que n. eussions	senti
que v. sen tissiez		que v. eussiez	senti
qu'ils sen tissent		qu'ils eussent	senti

IMPÉRATIF

Présent	Passé	
sen s	aie	senti
sen tons	ayons	senti
sen tez	ayez	senti

CONDITIONNEL

Présent		Passé 1re forme	
je	sen tirais	j' aurais	senti
tu	sen tirais	tu aurais	senti
il	sen tirait	il aurait	senti
n.	sen tirions	n. aurions	senti
v.	sen tiriez	v. auriez	senti
ils	sen tiraient	ils auraient	senti

Passé 2e forme		
j'	eusse	senti
tu	eusses	senti
il	eût	senti
n.	eussions	senti
v.	eussiez	senti
ils	eussent	senti

INFINITIF

Présent	Passé
sen tir	avoir senti

PARTICIPE

Présent	Passé
sen tant	sen ti, ie
	ayant senti

Ainsi se conjuguent **mentir, sentir, partir, se repentir, sortir** et leurs composés (page 102). Le participe passé *menti* est invariable mais *démenti, ie* s'accorde.

INDICATIF

Présent

je	vêts			
tu	vêts			
il	vêt			
nous	vêtons			
vous	vêtez			
ils	vêtent			

Passé composé

j'	ai	vêtu
tu	as	vêtu
il	a	vêtu
n.	avons	vêtu
v.	avez	vêtu
ils	ont	vêtu

Imparfait

je	vêtais
tu	vêtais
il	vêtait
nous	vêtions
vous	vêtiez
ils	vêtaient

Plus-que-parfait

j'	avais	vêtu
tu	avais	vêtu
il	avait	vêtu
n.	avions	vêtu
v.	aviez	vêtu
ils	avaient	vêtu

Passé simple

je	vêtis
tu	vêtis
il	vêtit
nous	vêtîmes
vous	vêtîtes
ils	vêtirent

Passé antérieur

j'	eus	vêtu
tu	eus	vêtu
il	eut	vêtu
n.	eûmes	vêtu
v.	eûtes	vêtu
ils	eurent	vêtu

Futur simple

je	vêtirai
tu	vêtiras
il	vêtira
nous	vêtirons
vous	vêtirez
ils	vêtiront

Futur antérieur

j'	aurai	vêtu
tu	auras	vêtu
il	aura	vêtu
n.	aurons	vêtu
v.	aurez	vêtu
ils	auront	vêtu

SUBJONCTIF

Présent

que je	vête
que tu	vêtes
qu'il	vête
que n.	vêtions
que v.	vêtiez
qu'ils	vêtent

Passé

que j'	aie	vêtu
que tu	aies	vêtu
qu'il	ait	vêtu
que n.	ayons	vêtu
que v.	ayez	vêtu
qu'ils	aient	vêtu

Imparfait

que je	vêtisse
que tu	vêtisses
qu'il	vêtît
que n.	vêtissions
que v.	vêtissiez
qu'ils	vêtissent

Plus-que-parfait

que j'	eusse	vêtu
que tu	eusses	vêtu
qu'il	eût	vêtu
que n.	eussions	vêtu
que v.	eussiez	vêtu
qu'ils	eussent	vêtu

IMPÉRATIF

Présent

vêts
vêtons
vêtez

Passé

aie	vêtu
ayons	vêtu
ayez	vêtu

CONDITIONNEL

Présent

je	vêtirais
tu	vêtirais
il	vêtirait
n.	vêtirions
v.	vêtiriez
ils	vêtiraient

Passé 1re forme

j'	aurais	vêtu
tu	aurais	vêtu
il	aurait	vêtu
n.	aurions	vêtu
v.	auriez	vêtu
ils	auraient	vêtu

Passé 2e forme

j'	eusse	vêtu
tu	eusses	vêtu
il	eût	vêtu
n.	eussions	vêtu
v.	eussiez	vêtu
ils	eussent	vêtu

INFINITIF

Présent

vêtir

Passé

avoir vêtu

PARTICIPE

Présent

vêtant

Passé

vêtu, ue
ayant vêtu

Ainsi se conjuguent **dévêtir** et **revêtir**.

Le singulier du présent de l'indicatif et de l'impératif de *vêtir* est peu usité.

Un grand nombre d'écrivains ont conjugué ce verbe sur **finir** : *Dieu leur a refusé le cocotier qui ombrage, loge,* **vêtit**, *nourrit et abreuve les enfants de Brahma* (VOLTAIRE). *Les sauvages vivaient et* **se vêtissaient** *du produit de leurs chasses* (CHATEAUBRIAND). *Comme un fils de Morven,* **me vêtissant** *d'orages...* (LAMARTINE). Ce serait faire preuve d'un rigorisme excessif que de ne pas accueillir des formes aussi autorisées à côté des formes un peu sourdes : *vêt, vêtent,* etc. Cependant dans les composés, les formes primitives sont seules admises : *il revêt, il revêtait, revêtant.*

27 VERBES EN -**VRIR** OU -**FRIR** : **COUVRIR**

INDICATIF

Présent		Passé composé	
je	couvr e	j' ai	couvert
tu	couvr es	tu as	couvert
il	couvr e	il a	couvert
nous	couvr ons	n. avons	couvert
vous	couvr ez	v. avez	couvert
ils	couvr ent	ils ont	couvert

Imparfait		Plus-que-parfait	
je	couvr ais	j' avais	couvert
tu	couvr ais	tu avais	couvert
il	couvr ait	il avait	couvert
nous	couvr ions	n. avions	couvert
vous	couvr iez	v. aviez	couvert
ils	couvr aient	ils avaient	couvert

Passé simple		Passé antérieur	
je	couvr is	j' eus	couvert
tu	couvr is	tu eus	couvert
il	couvr it	il eut	couvert
nous	couvr îmes	n. eûmes	couvert
cous	couvr îtes	v. eûtes	couvert
ils	couvr irent	ils eurent	couvert

Futur simple		Futur antérieur	
je	couvr irai	j' aurai	couvert
tu	couvr iras	tu auras	couvert
il	couvr ira	il aura	couvert
nous	couvr irons	n. aurons	couvert
vous	couvr irez	v. aurez	couvert
ils	couvr iront	ils auront	couvert

SUBJONCTIF

Présent		Passé	
que je couvr e		que j' aie	couvert
que tu couvr es		que tu aies	couvert
qu'il couvr e		qu'il ait	couvert
que n. couvr ions		que n. ayons	couvert
que v. couvr iez		que v. ayez	couvert
qu'ils couvr ent		qu'ils aient	couvert

Imparfait		Plus-que-parfait	
que je couvr isse		que j' eusse	couvert
que tu couvr isses		que tu eusses	couvert
qu'il couvr ît		qu'il eût	couvert
que n. couvr issions		que n. eussions	couvert
que v. couvr issiez		que v. eussiez	couvert
qu'ils couvr issent		qu'ils eussent	couvert

IMPÉRATIF

Présent	Passé	
couvr e	aie	couvert
couvr ons	ayons	couvert
couvr ez	ayez	couvert

CONDITIONNEL

Présent		Passé 1re forme	
je couvr irais		j' aurais	couvert
tu couvr irais		tu aurais	couvert
il couvr irait		il aurait	couvert
n. couvr irions		n. aurions	couvert
v. couvr iriez		v. auriez	couvert
ils couvr iraient		ils auraient	couvert

Passé 2e forme	
j' eusse	couvert
tu eusses	couvert
il eût	couvert
n. eussions	couvert
v. eussiez	couvert
ils eussent	couvert

INFINITIF

Présent	Passé
couvrir	avoir couvert

PARTICIPE

Présent	Passé
couvrant	couvert, te
	ayant couvert

Ainsi se conjuguent **couvrir, ouvrir, offrir, souffrir** et leurs composés (page 102). Remarquer l'analogie des terminaisons du présent de l'indicatif, de l'impératif et du subjonctif avec celles des verbes du 1er groupe.

INDICATIF

Présent

je	cueill e
tu	cueill es
il	cueill e
nous	cueill ons
vous	cueill ez
ils	cueill ent

Passé composé

j'	ai	cueilli
tu	as	cueilli
il	a	cueilli
n.	avons	cueilli
v.	avez	cueilli
ils	ont	cueilli

Imparfait

je	cueill ais
tu	cueill ais
il	cueill ait
nous	cueill ions
vous	cueill iez
ils	cueill aient

Plus-que-parfait

j'	avais	cueilli
tu	avais	cueilli
il	avait	cueilli
n.	avions	cueilli
v.	aviez	cueilli
ils	avaient	cueilli

Passé simple

je	cueill is
tu	cueill is
il	cueill it
nous	cueill îmes
vous	cueill îtes
ils	cueill irent

Passé antérieur

j'	eus	cueilli
tu	eus	cueilli
il	eut	cueilli
n.	eûmes	cueilli
v.	eûtes	cueilli
ils	eurent	cueilli

Futur simple

je	cueill erai
tu	cueill eras
il	cueill era
nous	cueill erons
vous	cueill erez
ils	cueill eront

Futur antérieur

j'	aurai	cueilli
tu	auras	cueilli
il	aura	cueilli
n.	aurons	cueilli
v.	aurez	cueilli
ils	auront	cueilli

SUBJONCTIF

Présent

que je	cueill e
que tu	cueill es
qu'il	cueill e
que n.	cueill ions
que v.	cueill iez
qu'ils	cueill ent

Passé

que j'	aie	cueilli
que tu	aies	cueilli
qu'il	ait	cueilli
que n.	ayons	cueilli
que v.	ayez	cueilli
qu'ils	aient	cueilli

Imparfait

que je	cueill isse
que tu	cueill isses
qu'il	cueill ît
que n.	cueill issions
que v.	cueill issiez
qu'ils	cueill issent

Plus-que-parfait

que j'	eusse	cueilli
que tu	eusses	cueilli
qu'il	eût	cueilli
que n.	eussions	cueilli
que v.	eussiez	cueilli
qu'ils	eussent	cueilli

IMPÉRATIF

Présent

| cueill e |
| cueill ons |
| cueill ez |

Passé

aie	cueilli
ayons	cueilli
ayez	cueilli

CONDITIONNEL

Présent

je	cueill erais
tu	cueill erais
il	cueill erait
n.	cueill erions
v.	cueill eriez
ils	cueill eraient

Passé 1re forme

j'	aurais	cueilli
tu	aurais	cueilli
il	aurait	cueilli
n.	aurions	cueilli
v.	auriez	cueilli
ils	auraient	cueilli

Passé 2e forme

j'	eusse	cueilli
tu	eusses	cueilli
il	eût	cueilli
n.	eussions	cueilli
v.	eussiez	cueilli
ils	eussent	cueilli

INFINITIF

Présent

cueillir

Passé

avoir cueilli

PARTICIPE

Présent

cueill ant

Passé

cueill i, ie
ayant cueilli

Ainsi se conjuguent **accueillir** et **recueillir**. Remarquer l'analogie des terminaisons de ce verbe avec celles du 1er groupe, en particulier au futur et au conditionnel : *je cueillerai* comme *j'aimerai*. (Mais le passé simple est *je cueillis*, différent de *j'aimai*.)

INDICATIF

Présent		Passé composé	
j′	ass aille	j′ ai	assailli
tu	ass ailles	tu as	assailli
il	ass aille	il a	assailli
nous	ass aillons	n. avons	assailli
vous	ass aillez	v. avez	assailli
ils	ass aillent	ils ont	assailli

Imparfait		Plus-que-parfait	
j′	ass aillais	j′ avais	assailli
tu	ass aillais	tu avais	assailli
il	ass aillait	il avait	assailli
nous	ass aillions	n. avions	assailli
vous	ass ailliez	v. aviez	assailli
ils	ass aillaient	ils avaient	assailli

Passé simple		Passé antérieur	
j′	ass aillis	j′ eus	assailli
tu	ass aillis	tu eus	assailli
il	ass aillit	il eut	assailli
nous	ass aillîmes	n. eûmes	assailli
vous	ass aillîtes	v. eûtes	assailli
ils	ass aillirent	ils eurent	assailli

Futur simple		Futur antérieur	
j′	ass aillirai	j′ aurai	assailli
tu	ass ailliras	tu auras	assailli
il	ass aillira	il aura	assailli
nous	ass aillirons	n. aurons	assailli
vous	ass aillirez	v. aurez	assailli
ils	ass ailliront	ils auront	assailli

SUBJONCTIF

Présent		Passé	
que j′	ass aille	que j′ aie	assailli
que tu	ass ailles	que tu aies	assailli
qu′il	ass aille	qu′il ait	assailli
que n.	ass aillions	que n. ayons	assailli
que v.	ass ailliez	que v. ayez	assailli
qu′ils	ass aillent	qu′ils aient	assailli

Imparfait		Plus-que-parfait	
que j′	ass aillisse	que j′ eusse	assailli
que tu	ass aillisses	que tu eusses	assailli
qu′il	ass aillît	qu′il eût	assailli
que n.	ass aillissions	que n. eussions	assailli
que v.	ass aillissiez	que v. eussiez	assailli
qu′ils	ass aillissent	qu′ils eussent	assailli

IMPÉRATIF

Présent	Passé	
ass aille	aie	assailli
ass aillons	ayons	assailli
ass aillez	ayez	assailli

CONDITIONNEL

Présent		Passé 1ʳᵉ forme	
j′ ass aillirais		j′ aurais	assailli
tu ass aillirais		tu aurais	assailli
il ass aillirait		il aurait	assailli
n. ass aillirions		n. aurions	assailli
v. ass ailliriez		v. auriez	assailli
ils ass ailliraient		ils auraient	assailli

Passé 2ᵉ forme	
j′ eusse	assailli
tu eusses	assailli
il eût	assailli
n. eussions	assailli
v. eussiez	assailli
ils eussent	assailli

INFINITIF

Présent	Passé
ass aillir	avoir assailli

PARTICIPE

Présent	Passé
ass aillant	ass ailli, ie
	ayant assailli

Ainsi se conjuguent **tressaillir** et **défaillir** (cf. page suivante). Si quelques prosateurs célèbres ont risqué : *il tressaillit* au présent de l'indicatif, le dictionnaire de l'Académie, loin d'autoriser cette licence, écrit : *il tressaille de joie*. De même pour *je tressaillerai*, en regard de la seule forme correcte : *je tressaillirai*.

INDICATIF

Présent		Passé composé
je	faux	j'ai failli, etc.
tu	faux	
il	faut	
nous	faillons	
vous	faillez	
ils	faillent	

Imparfait	Plus-que-parfait
je faillais, etc.	j'avais failli...

Passé simple	Passé antérieur
je faillis, etc.	j'eus failli, etc.

Futur simple	Futur antérieur
je faillirai, etc.	j'aurai failli, etc.
je faudrai, etc.	

SUBJONCTIF

Présent	Passé
que je faille, etc.	que j'aie failli, etc.

Imparfait	Plus-que-parfait
que je faillisse, etc.	que j'eusse failli

IMPÉRATIF

Présent

....

CONDITIONNEL

Présent	Passé 1re forme
je faillirais, etc.	j'aurais failli...
je faudrais, etc.	

INFINITIF

Présent	Passé
faillir	avoir failli

PARTICIPE

Présent	Passé
faillant	failli, ayant failli

Le verbe **faillir** a trois emplois distincts :

1. Au sens de *manquer de* (semi-auxiliaire suivi de l'infinitif) : *j'ai failli tomber*, il n'a que le passé simple : *je faillis*; le futur, le conditionnel : *je faillirai, je faillirais*, et tous les temps composés du type *avoir failli*.

2. Ces mêmes formes sont usitées avec le sens de *manquer à* : *je ne faillirai jamais à mon devoir*. Mais dans cette acception on trouve aussi quelques formes archaïques qui survivent surtout dans des expressions toutes faites comme *Le cœur me faut*. Ce sont elles qui sont signalées ci-dessus en italique.

3. Enfin au sens de *faire faillite* ce verbe se conjugue régulièrement sur **finir**, mais il est pratiquement inusité, sauf au participe passé employé comme nom : *un failli*.

VERBE **DÉFAILLIR**

Ce verbe se conjugue sur **assaillir** (tableau 29), mais certains temps sont moins usités (présent de l'indicatif au singulier, futur simple et conditionnel présent), sans doute en raison d'hésitations dues à la persistance de formes archaïques aujourd'hui sorties de l'usage, telles que :

Indicatif présent : je défaus, tu défaus, il défaut
Indicatif futur : je défaudrai, etc.

Mais ces hésitations n'autorisent pas à dire au futur : *je défaillerai* pour *je défaillirai*.

31 VERBE **BOUILLIR**

INDICATIF

Présent		Passé composé	
je	bous	j' ai	bouilli
tu	bous	tu as	bouilli
il	bout	il a	bouilli
nous	bouill ons	n. avons	bouilli
vous	bouill ez	v. avez	bouilli
ils	bouill ent	ils ont	bouilli

Imparfait		Plus-que-parfait	
je	bouill ais	j' avais	bouilli
tu	bouill ais	tu avais	bouilli
il	bouill ait	il avait	bouilli
nous	bouill ions	n. avions	bouilli
vous	bouill iez	v. aviez	bouilli
ils	bouill aient	ils avaient	bouilli

Passé simple		Passé antérieur	
je	bouill is	j' eus	bouilli
tu	bouill is	tu eus	bouilli
il	bouill it	il eut	bouilli
nous	bouill îmes	n. eûmes	bouilli
vous	bouill îtes	v. eûtes	bouilli
ils	bouill irent	ils eurent	bouilli

Futur simple		Futur antérieur	
je	bouill irai	j' aurai	bouilli
tu	bouill iras	tu auras	bouilli
il	bouill ira	il aura	bouilli
nous	bouill irons	n. aurons	bouilli
vous	bouill irez	v. aurez	bouilli
ils	bouill iront	ils auront	bouilli

SUBJONCTIF

Présent		Passé	
que je	bouill e	que j' aie	bouilli
que tu	bouill es	que tu aies	bouilli
qu'il	bouill e	qu'il ait	bouilli
que n.	bouill ions	que n. ayons	bouilli
que v.	bouill iez	que v. ayez	bouilli
qu'ils	bouill ent	qu'ils aient	bouilli

Imparfait		Plus-que-parfait	
que je	bouill isse	que j' eusse	bouilli
que tu	bouill isses	que tu eusses	bouilli
qu'il	bouill ît	qu'il eût	bouilli
que n.	bouill issions	que n. eussions	bouilli
que v.	bouill issiez	que v. eussiez	bouilli
qu'ils	bouill issent	qu'ils eussent	bouilli

IMPÉRATIF

Présent	Passé	
bou s	aie	bouilli
bouill ons	ayons	bouilli
bouill ez	ayez	bouilli

CONDITIONNEL

Présent		Passé 1ʳᵉ forme	
je	bouill irais	j' aurais	bouilli
tu	bouill irais	tu aurais	bouilli
il	bouill irait	il aurait	bouilli
n.	bouill irions	n. aurions	bouilli
v.	bouill iriez	v. auriez	bouilli
ils	bouill iraient	ils auraient	bouilli

Passé 2ᵉ forme		
j'	eusse	bouilli
tu	eusses	bouilli
il	eût	bouilli
n.	eussions	bouilli
v.	eussiez	bouilli
ils	eussent	bouilli

INFINITIF

Présent	Passé
bouill ir	avoir bouilli

PARTICIPE

Présent	Passé
bouill ant	bouill i, ie
	ayant bouilli

INDICATIF

Présent		Passé composé	
je	dors	j' ai	dormi
tu	dors	tu as	dormi
il	dort	il a	dormi
nous	dorm ons	n. avons	dormi
vous	dorm ez	v. avez	dormi
ils	dorm ent	ils ont	dormi

Imparfait		Plus-que-parfait	
je	dorm ais	j' avais	dormi
tu	dorm ais	tu avais	dormi
il	dorm ait	il avait	dormi
nous	dorm ions	n. avions	dormi
vous	dorm iez	v. aviez	dormi
ils	dorm aient	ils avaient	dormi

Passé simple		Passé antérieur	
je	dorm is	j' eus	dormi
tu	dorm is	tu eus	dormi
il	dorm it	il eut	dormi
nous	dorm îmes	n. eûmes	dormi
vous	dorm îtes	v. eûtes	dormi
ils	dorm irent	ils eurent	dormi

Futur simple		Futur antérieur	
je	dorm irai	j' aurai	dormi
tu	dorm iras	tu auras	dormi
il	dorm ira	il aura	dormi
nous	dorm irons	n. aurons	dormi
vous	dorm irez	v. aurez	dormi
ils	dorm iront	ils auront	dormi

SUBJONCTIF

Présent		Passé	
que je dorm e		que j' aie	dormi
que tu dorm es		que tu aies	dormi
qu'il dorm e		qu'il ait	dormi
que n. dorm ions		que n. ayons	dormi
que v. dorm iez		que v. ayez	dormi
qu'ils dorm ent		qu'ils aient	dormi

Imparfait		Plus-que-parfait	
que je dorm isse		que j' eusse	dormi
que tu dorm isses		que tu eusses	dormi
qu'il dorm ît		qu'il eût	dormi
que n. dorm issions		que n. eussions	dormi
que v. dorm issiez		que v. eussiez	dormi
qu'ils dorm issent		qu'ils eussent	dormi

IMPÉRATIF

Présent	Passé	
dors	aie	dormi
dorm ons	ayons	dormi
dorm ez	ayez	dormi

CONDITIONNEL

Présent		Passé 1re forme		
je	dorm irais	j'	aurais	dormi
tu	dorm irais	tu	aurais	dormi
il	dorm irait	il	aurait	dormi
n.	dorm irions	n.	aurions	dormi
v.	dorm iriez	v.	auriez	dormi
ils	dorm iraient	ils	auraient	dormi

Passé 2e forme		
j'	eusse	dormi
tu	eusses	dormi
il	eût	dormi
n.	eussions	dormi
v.	eussiez	dormi
ils	eussent	dormi

INFINITIF

Présent	Passé
dorm ir	avoir dormi

PARTICIPE

Présent	Passé
dorm ant	dorm i
	ayant dormi

Ainsi se conjuguent **redormir, endormir, rendormir.** Ces deux derniers verbes ont le participe passé variable, *endormi, endormie,* alors que le féminin *dormie* est pratiquement inusité.

33 VERBE **COURIR**

INDICATIF

Présent

je	cours
tu	cours
il	court
nous	courons
vous	courez
ils	courent

Passé composé

j'	ai	couru
tu	as	couru
il	a	couru
n.	avons	couru
v.	avez	couru
ils	ont	couru

Imparfait

je	courais
tu	courais
il	courait
nous	courions
vous	couriez
ils	couraient

Plus-que-parfait

j'	avais	couru
tu	avais	couru
il	avait	couru
n.	avions	couru
v.	aviez	couru
ils	avaient	couru

Passé simple

je	courus
tu	courus
il	courut
nous	courûmes
vous	courûtes
ils	coururent

Passé antérieur

j'	eus	couru
tu	eus	couru
il	eut	couru
n.	eûmes	couru
v.	eûtes	couru
ils	eurent	couru

Futur simple

je	courrai
tu	courras
il	courra
nous	courrons
vous	courrez
ils	courront

Futur antérieur

j'	aurai	couru
tu	auras	couru
il	aura	couru
n.	aurons	couru
v.	aurez	couru
ils	auront	couru

SUBJONCTIF

Présent

que je	coure
que tu	coures
qu'il	coure
que n.	courions
que v.	couriez
qu'ils	courent

Passé

que j'	aie	couru
que tu	aies	couru
qu'il	ait	couru
que n.	ayons	couru
que v.	ayez	couru
qu'ils	aient	couru

Imparfait

que je	courusse
que tu	courusses
qu'il	courût
que n.	courussions
que v.	courussiez
qu'ils	courussent

Plus-que-parfait

que j'	eusse	couru
que tu	eusses	couru
qu'il	eût	couru
que n.	eussions	couru
que v.	eussiez	couru
qu'ils	eussent	couru

IMPÉRATIF

Présent

cours
courons
courez

Passé

aie	couru
ayons	couru
ayez	couru

CONDITIONNEL

Présent

je	courrais
tu	courrais
il	courrait
n.	courrions
v.	courriez
ils	courraient

Passé 1re forme

j'	aurais	couru
tu	aurais	couru
il	aurait	couru
n.	aurions	couru
v.	auriez	couru
ils	auraient	couru

Passé 2e forme

j'	eusse	couru
tu	eusses	couru
il	eût	couru
n.	eussions	couru
v.	eussiez	couru
ils	eussent	couru

INFINITIF

Présent

courir

Passé

avoir couru

PARTICIPE

Présent

courant

Passé

couru, ue
ayant couru

Ainsi se conjuguent les composés de **courir** (page 102).
Remarquer les deux **r** du futur et du conditionnel présent : *je courrai, je courrais*.

INDICATIF

Présent

je	meurs
tu	meurs
il	meurt
nous	mourons
vous	mourez
ils	meurent

Passé composé

je	suis	mort
tu	es	mort
il	est	mort
n.	sommes	morts
v.	êtes	morts
ils	sont	morts

Imparfait

je	mourais
tu	mourais
il	mourait
nous	mourions
vous	mouriez
ils	mouraient

Plus-que-parfait

j'	étais	mort
tu	étais	mort
il	était	mort
n.	étions	morts
v.	étiez	morts
ils	étaient	morts

Passé simple

je	mourus
tu	mourus
il	mourut
nous	mourûmes
vous	mourûtes
ils	moururent

Passé antérieur

je	fus	mort
tu	fus	mort
il	fut	mort
n.	fûmes	morts
v.	fûtes	morts
ils	furent	morts

Futur simple

je	mourrai
tu	mourras
il	mourra
nous	mourrons
vous	mourrez
ils	mourront

Futur antérieur

je	serai	mort
tu	seras	mort
il	sera	mort
n.	serons	morts
v.	serez	morts
ils	seront	morts

SUBJONCTIF

Présent

que je	meure
que tu	meures
qu'il	meure
que n.	mourions
que v.	mouriez
qu'ils	meurent

Passé

que je	sois	mort
que tu	sois	mort
qu'il	soit	mort
que n.	soyons	morts
que v.	soyez	morts
qu'ils	soient	morts

Imparfait

que je	mourusse
que tu	mourusses
qu'il	mourût
que n.	mourussions
que v.	mourussiez
qu'ils	mourussent

Plus-que-parfait

que je	fusse	mort
que tu	fusses	mort
qu'il	fût	mort
que n.	fussions	morts
que v.	fussiez	morts
qu'ils	fussent	morts

IMPÉRATIF

Présent

meurs
mourons
mourez

Passé

sois	mort
soyons	morts
soyez	morts

CONDITIONNEL

Présent

je	mourrais
tu	mourrais
il	mourrait
n.	mourrions
v.	mourriez
ils	mourraient

Passé 1re forme

je	serais	mort
tu	serais	mort
il	serait	mort
n.	serions	morts
v.	seriez	morts
ils	seraient	morts

Passé 2e forme

je	fusse	mort
tu	fusses	mort
il	fût	mort
n.	fussions	morts
v.	fussiez	morts
ils	fussent	morts

INFINITIF

Présent

mourir

Passé

être mort

PARTICIPE

Présent

mourant

Passé

mort, te
étant mort

Remarquer le redoublement de l'**r** au futur et au conditionnel présent : *je mourrai, je mourrais,* et l'emploi de l'auxiliaire **être** dans les temps composés.

INDICATIF

Présent		Passé composé	
je	sers	j' ai	servi
tu	sers	tu as	servi
il	sert	il a	servi
nous	serv ons	n. avons	servi
vous	serv ez	v. avez	servi
ils	serv ent	ils ont	servi

Imparfait		Plus-que-parfait	
je	serv ais	j' avais	servi
tu	serv ais	tu avais	servi
il	serv ait	il avait	servi
nous	serv ions	n. avions	servi
vous	serv iez	v. aviez	servi
ils	serv aient	ils avaient	servi

Passé simple		Passé antérieur	
je	serv is	j' eus	servi
tu	serv is	tu eus	servi
il	serv it	il eut	servi
nous	serv îmes	n. eûmes	servi
vous	serv îtes	v. eûtes	servi
ils	serv irent	ils eurent	servi

Futur simple		Futur antérieur	
je	serv irai	j' aurai	servi
tu	serv iras	tu auras	servi
il	serv ira	il aura	servi
nous	serv irons	n. aurons	servi
vous	serv irez	v. aurez	servi
ils	serv iront	ils auront	servi

INFINITIF

Présent	Passé
serv ir	avoir servi

SUBJONCTIF

Présent		Passé	
que je serv e		que j' aie	servi
que tu serv es		que tu aies	servi
qu'il serv e		qu'il ait	servi
que n. serv ions		que n. ayons	servi
que v. serv iez		que v. ayez	servi
qu'ils serv ent		qu'ils aient	servi

Imparfait		Plus-que-parfait	
que je serv isse		que j' eusse	servi
que tu serv isses		que tu eusses	servi
qu'il serv ît		qu'il eût	servi
que n. serv issions		que n. eussions	servi
que v. serv issiez		que v. eussiez	servi
qu'ils serv issent		qu'ils eussent	servi

IMPÉRATIF

Présent	Passé
sers	aie servi
serv ons	ayons servi
serv ez	ayez servi

CONDITIONNEL

Présent		Passé 1re forme	
je	serv irais	j' aurais	servi
tu	serv irais	tu aurais	servi
il	serv irait	il aurait	servi
n.	serv irions	n. aurions	servi
v.	serv iriez	v. auriez	servi
ils	serv iraient	ils auraient	servi

Passé 2e forme	
j' eusse	servi
tu eusses	servi
il eût	servi
n. eussions	servi
v. eussiez	servi
ils eussent	servi

PARTICIPE

Présent	Passé
serv ant	serv i, ie
	ayant servi

Ainsi se conjuguent **desservir, resservir**. Mais **asservir** se conjugue sur **finir**.

INDICATIF

Présent

je	fuis
tu	fuis
il	fuit
nous	fuyons
vous	fuyez
ils	fuient

Passé composé

j'	ai	fui
tu	as	fui
il	a	fui
n.	avons	fui
v.	avez	fui
ils	ont	fui

Imparfait

je	fuyais
tu	fuyais
il	fuyait
nous	fuyions
vous	fuyiez
ils	fuyaient

Plus-que-parfait

j'	avais	fui
tu	avais	fui
il	avait	fui
n.	avions	fui
v.	aviez	fui
ils	avaient	fui

Passé simple

je	fuis
tu	fuis
il	fuit
nous	fuîmes
vous	fuîtes
ils	fuirent

Passé antérieur

j'	eus	fui
tu	eus	fui
il	eut	fui
n.	eûmes	fui
v.	eûtes	fui
ils	eurent	fui

Futur simple

je	fuirai
tu	fuiras
il	fuira
nous	fuirons
vous	fuirez
ils	fuiront

Futur antérieur

j'	aurai	fui
tu	auras	fui
il	aura	fui
n.	aurons	fui
v.	aurez	fui
ils	auront	fui

SUBJONCTIF

Présent

que je	fuie
que tu	fuies
qu'il	fuie
que n.	fuyions
que v.	fuyiez
qu'ils	fuient

Passé

que j'	aie	fui
que tu	aies	fui
qu'il	ait	fui
que n.	ayons	fui
que v.	ayez	fui
qu'ils	aient	fui

Imparfait

que je	fuisse
que tu	fuisses
qu'il	fuît
que n.	fuissions
que v.	fuissiez
qu'ils	fuissent

Plus-que-parfait

que j'	eusse	fui
que tu	eusses	fui
qu'il	eût	fui
que n.	eussions	fui
que v.	eussiez	fui
qu'ils	eussent	fui

IMPÉRATIF

Présent

fuis
fuyons
fuyez

Passé

aie	fui
ayons	fui
ayez	fui

CONDITIONNEL

Présent

je	fuirais
tu	fuirais
il	fuirait
n.	fuirions
v.	fuiriez
ils	fuiraient

Passé 1re forme

j'	aurais	fui
tu	aurais	fui
il	aurait	fui
n.	aurions	fui
v.	auriez	fui
ils	auraient	fui

Passé 2e forme

j'	eusse	fui
tu	eusses	fui
il	eût	fui
n.	eussions	fui
v.	eussiez	fui
ils	eussent	fui

INFINITIF

Présent

fuir

Passé

avoir fui

PARTICIPE

Présent

fuyant

Passé

fui, ie
ayant fui

Ainsi se conjugue **s'enfuir**.

37 VERBE **OUÏR**

INDICATIF

Présent		Passé composé	
j'	ois	j'ai	ouï
tu	ois		
il	oït		
nous	oyons		
vous	oyez		
ils	oient		

Imparfait		Plus-que-parfait	
j'	oyais	j'avais	ouï

Passé simple		Passé antérieur	
j'	ouïs	j'eus	ouï

Futur simple		Futur antérieur	
j'	ouïrai	j'aurai	ouï
j'	orrai		
j'	oirai		

SUBJONCTIF

Présent		Passé	
que j'	oie	que j'aie	ouï
que tu	oies		
qu'il	oie		
que n.	oyions		
que v.	oyiez		
qu'ils	oient		

Imparfait		Plus-que-parfait	
que j'	ouïsse	que j'eusse	ouï

CONDITIONNEL   IMPÉRATIF

Présent	Présent
j'ouïrais	ois
j'orrais	oyons
j'oirais	oyez

Passé 1re forme

j'aurais ouï

INFINITIF

Présent	Passé
ouïr	avoir ouï

PARTICIPE

Présent	Passé
oyant	ouï, ïe ayant ouï

Le verbe **ouïr** a définitivement cédé la place à **entendre**. Il n'est plus employé qu'à l'infinitif et dans l'expression *« par ouï-dire »*. La conjugaison archaïque est donnée ci-dessus en italique, excepté pour les formes qui se sont maintenues le plus longtemps. A noter le futur *j'ouïrai*, refait d'après l'infinitif sur le modèle de : **sentir, je sentirai.**

VERBE **GÉSIR**

Ce verbe, qui signifie : *être couché*, n'est plus d'usage qu'aux formes ci-après :

INDICATIF	Présent		Imparfait	PARTICIPE	Présent
	je	gis	je	gisais	gisant
	tu	gis	tu	gisais	
	il	gît	il	gisait	
	nous	gisons	nous	gisions	
	vous	gisez	vous	gisiez	
	ils	gisent	ils	gisaient	

On n'emploie guère le verbe **gésir** qu'en parlant des personnes malades ou mortes, et de choses renversées par le temps ou la destruction : *Nous* **gisions** *tous les deux sur le pavé d'un cachot, malades et privés de secours. Son cadavre* **gît** *maintenant dans le tombeau. Des colonnes* **gisant** *éparses* (Académie). Cf. l'inscription funéraire : *ci-gît.*

INDICATIF

Présent		Passé composé	
je	re çois	j' ai	reçu
tu	re çois	tu as	reçu
il	re çoit	il a	reçu
nous	re cevons	n. avons	reçu
vous	re cevez	v. avez	reçu
ils	re çoivent	ils ont	reçu

Imparfait		Plus-que-parfait	
je	re cevais	j' avais	reçu
tu	re cevais	tu avais	reçu
il	re cevait	il avait	reçu
nous	re cevions	n. avions	reçu
vous	re ceviez	v. aviez	reçu
ils	re cevaient	ils avaient	reçu

Passé simple		Passé antérieur	
je	re çus	j' eus	reçu
tu	re çus	tu eus	reçu
il	re çut	il eut	reçu
nous	re çûmes	n. eûmes	reçu
vous	re çûtes	v. eûtes	reçu
ils	re çurent	ils eurent	reçu

Futur simple		Futur antérieur	
je	re cevrai	j' aurai	reçu
tu	re cevras	tu auras	reçu
il	re cevra	il aura	reçu
nous	re cevrons	n. aurons	reçu
vous	re cevrez	v. aurez	reçu
ils	re cevront	ils auront	reçu

SUBJONCTIF

Présent		Passé	
que je re çoive		que j' aie	reçu
que tu re çoives		que tu aies	reçu
qu'il re çoive		qu'il ait	reçu
que n. re cevions		que n. ayons	reçu
que v. re ceviez		que v. ayez	reçu
qu'ils re çoivent		qu'ils aient	reçu

Imparfait		Plus-que-parfait	
que je re çusse		que j' eusse	reçu
que tu re çusses		que tu eusses	reçu
qu'il re çût		qu'il eût	reçu
que n. re çussions		que n. eussions	reçu
que v. re çussiez		que v. eussiez	reçu
qu'ils re çussent		qu'ils eussent	reçu

IMPÉRATIF

Présent	Passé	
re çois	aie	reçu
re cevons	ayons	reçu
re cevez	ayez	reçu

CONDITIONNEL

Présent		Passé 1ʳᵉ forme	
je	re cevrais	j' aurais	reçu
tu	re cevrais	tu aurais	reçu
il	re cevrait	il aurait	reçu
n.	re cevrions	n. aurions	reçu
v.	re cevriez	v. auriez	reçu
ils	re cevraient	ils auraient	reçu

Passé 2ᵉ forme		
j'	eusse	reçu
tu	eusses	reçu
il	eût	reçu
n.	eussions	reçu
v.	eussiez	reçu
ils	eussent	reçu

INFINITIF

Présent	Passé
re cevoir	avoir reçu

PARTICIPE

Présent	Passé
re cevant	re çu, ue
	ayant reçu

La cédille est placée sous le **c** chaque fois qu'il précède un **o** ou un **u**.
Ainsi se conjuguent **apercevoir, concevoir, décevoir, percevoir.**

39 VERBE **VOIR**

INDICATIF

Présent		Passé composé	
je	vois	j' ai	vu
tu	vois	tu as	vu
il	voit	il a	vu
nous	voyons	n. avons	vu
vous	voyez	v. avez	vu
ils	voient	ils ont	vu

Imparfait		Plus-que-parfait	
je	voyais	j' avais	vu
tu	voyais	tu avais	vu
il	voyait	il avait	vu
nous	voyions	n. avions	vu
vous	voyiez	v. aviez	vu
ils	voyaient	ils avaient	vu

Passé simple		Passé antérieur	
je	vis	j' eus	vu
tu	vis	tu eus	vu
il	vit	il eut	vu
nous	vîmes	n. eûmes	vu
vous	vîtes	v. eûtes	vu
ils	virent	ils eurent	vu

Futur simple		Futur antérieur	
je	verrai	j' aurai	vu
tu	verras	tu auras	vu
il	verra	il aura	vu
nous	verrons	n. aurons	vu
vous	verrez	v. aurez	vu
ils	verront	ils auront	vu

SUBJONCTIF

Présent		Passé		
que je	voie	que j'	aie	vu
que tu	voies	que tu	aies	vu
qu'il	voie	qu'il	ait	vu
que n.	voyions	que n.	ayons	vu
que v.	voyiez	que v.	ayez	vu
qu'ils	voient	qu'ils	aient	vu

Imparfait		Plus-que-parfait		
que je	visse	que j'	eusse	vu
que tu	visses	que tu	eusses	vu
qu'il	vît	qu'il	eût	vu
que n.	vissions	que n.	eussions	vu
que v.	vissiez	que v.	eussiez	vu
qu'ils	vissent	qu'ils	eussent	vu

IMPÉRATIF

Présent	Passé	
vois	aie	vu
voyons	ayons	vu
voyez	ayez	vu

CONDITIONNEL

Présent		Passé 1ʳᵉ forme		
je	verrais	j'	aurais	vu
tu	verrais	tu	aurais	vu
il	verrait	il	aurait	vu
n.	verrions	n.	aurions	vu
v.	verriez	v.	auriez	vu
ils	verraient	ils	auraient	vu

Passé 2ᵉ forme		
j'	eusse	vu
tu	eusses	vu
il	eût	vu
n.	eussions	vu
v.	eussiez	vu
ils	eussent	vu

INFINITIF

Présent	Passé
voir	avoir vu

PARTICIPE

Présent	Passé
voyant	vu, ue
	ayant vu

Ainsi se conjuguent **entrevoir, revoir, prévoir.** Ce dernier fait au futur et au conditionnel : *je prévoirai... je prévoirais...* Quant à **pourvoir,** cf. page suivante.

INDICATIF

Présent		Passé composé	
je	pourvois	j' ai	pourvu
tu	pourvois	tu as	pourvu
il	pourvoit	il a	pourvu
nous	pourvoyons	n. avons	pourvu
vous	pourvoyez	v. avez	pourvu
ils	pourvoient	ils ont	pourvu

Imparfait		Plus-que-parfait	
je	pourvoyais	j' avais	pourvu
tu	pourvoyais	tu avais	pourvu
il	pourvoyait	il avait	pourvu
nous	pourvoyions	n. avions	pourvu
vous	pourvoyiez	v. aviez	pourvu
ils	pourvoyaient	ils avaient	pourvu

Passé simple		Passé antérieur	
je	pourvus	j' eus	pourvu
tu	pourvus	tu eus	pourvu
il	pourvut	il eut	pourvu
nous	pourvûmes	n. eûmes	pourvu
vous	pourvûtes	v. eûtes	pourvu
ils	pourvurent	ils eurent	pourvu

Futur simple		Futur antérieur	
je	pourvoirai	j' aurai	pourvu
tu	pourvoiras	tu auras	pourvu
il	pourvoira	il aura	pourvu
nous	pourvoirons	n. aurons	pourvu
vous	pourvoirez	v. aurez	pourvu
ils	pourvoiront	ils auront	pourvu

SUBJONCTIF

Présent		Passé	
que je	pourvoie	que j'	aie pourvu
que tu	pourvoies	que tu	aies pourvu
qu'il	pourvoie	qu'il	ait pourvu
que n.	pourvoyions	que n.	ayons pourvu
que v.	pourvoyiez	que v.	ayez pourvu
qu'ils	pourvoient	qu'ils	aient pourvu

Imparfait		Plus-que-parfait	
que je	pourvusse	que j'	eusse pourvu
que tu	pourvusses	que tu	eusses pourvu
qu'il	pourvût	qu'il	eût pourvu
que n.	pourvussions	que n.	eussions pourvu
que v.	pourvussiez	que v.	eussiez pourvu
qu'ils	pourvussent	qu'ils	eussent pourvu

IMPÉRATIF

Présent	Passé	
pourvois	aie	pourvu
pourvoyons	ayons	pourvu
pourvoyez	ayez	pourvu

CONDITIONNEL

Présent	Passé 1re forme	
je pourvoirais	j' aurais	pourvu
tu pourvoirais	tu aurais	pourvu
il pourvoirait	il aurait	pourvu
n. pourvoirions	n. aurions	pourvu
v. pourvoiriez	v. auriez	pourvu
ils pourvoiraient	ils auraient	pourvu

Passé 2e forme	
j' eusse	pourvu
tu eusses	pourvu
il eût	pourvu
n. eussions	pourvu
v. eussiez	pourvu
ils eussent	pourvu

INFINITIF

Présent	Passé
pourvoir	avoir pourvu

PARTICIPE

Présent	Passé
pourvoyant	pourvu, ue
	ayant pourvu

INDICATIF

Présent		Passé composé	
je	sais	j' ai	su
tu	sais	tu as	su
il	sait	il a	su
nous	savons	n. avons	su
vous	savez	v. avez	su
ils	savent	ils ont	su

Imparfait		Plus-que-parfait	
je	savais	j' avais	su
tu	savais	tu avais	su
il	savait	il avait	su
nous	savions	n. avions	su
vous	saviez	v. aviez	su
ils	savaient	ils avaient	su

Passé simple		Passé antérieur	
je	sus	j' eus	su
tu	sus	tu eus	su
il	sut	il eut	su
nous	sûmes	n. eûmes	su
vous	sûtes	v. eûtes	su
ils	surent	ils eurent	su

Futur simple		Futur antérieur	
je	saurai	j' aurai	su
tu	sauras	tu auras	su
il	saura	il aura	su
nous	saurons	n. aurons	su
vous	saurez	v. aurez	su
ils	sauront	ils auront	su

SUBJONCTIF

Présent	Passé	
que je sache	que j' aie	su
que tu saches	que tu aies	su
qu'il sache	qu'il ait	su
que n. sachions	que n. ayons	su
que v. sachiez	que v. ayez	su
qu'ils sachent	qu'ils aient	su

Imparfait	Plus-que-parfait	
que je susse	que j' eusse	su
que tu susses	que tu eusses	su
qu'il sût	qu'il eût	su
que n. sussions	que n. eussions	su
que v. sussiez	que v. eussiez	su
qu'ils sussent	qu'ils eussent	su

IMPÉRATIF

Présent	Passé	
sache	aie	su
sachons	ayons	su
sachez	ayez	su

CONDITIONNEL

Présent		Passé 1re forme	
je	saurais	j' aurais	su
tu	saurais	tu aurais	su
il	saurait	il aurait	su
n.	saurions	n. aurions	su
v.	sauriez	v. auriez	su
ils	sauraient	ils auraient	su

Passé 2e forme		
j'	eusse	su
tu	eusses	su
il	eût	su
n.	eussions	su
v.	eussiez	su
ils	eussent	su

INFINITIF

Présent	Passé
savoir	avoir su

PARTICIPE

Présent	Passé
sachant	su, ue
	ayant su

A noter l'emploi curieux du subjonctif dans les expressions : **je ne sache pas** *qu'il soit venu ; il n'est pas venu*, **que je sache.**

INDICATIF

Présent

je	dois
tu	dois
il	doit
nous	devons
vous	devez
ils	doivent

Passé composé

j'	ai	dû
tu	as	dû
il	a	dû
n.	avons	dû
v.	avez	dû
ils	ont	dû

Imparfait

je	devais
tu	devais
il	devait
nous	devions
vous	deviez
ils	devaient

Plus-que-parfait

j'	avais	dû
tu	avais	dû
il	avait	dû
n.	avions	dû
v.	aviez	dû
ils	avaient	dû

Passé simple

je	dus
tu	dus
il	dut
nous	dûmes
vous	dûtes
ils	durent

Passé antérieur

j'	eus	dû
tu	eus	dû
il	eut	dû
n.	eûmes	dû
v.	eûtes	dû
ils	eurent	dû

Futur simple

je	devrai
tu	devras
il	devra
nous	devrons
vous	devrez
ils	devront

Futur antérieur

j'	aurai	dû
tu	auras	dû
il	aura	dû
n.	aurons	dû
v.	aurez	dû
ils	auront	dû

SUBJONCTIF

Présent

que je	doive
que tu	doives
qu'il	doive
que n.	devions
que v.	deviez
qu'ils	doivent

Passé

que j'	aie	dû
que tu	aies	dû
qu'il	ait	dû
que n.	ayons	dû
que v.	ayez	dû
qu'ils	aient	dû

Imparfait

que je	dusse
que tu	dusses
qu'il	dût
que n.	dussions
que v.	dussiez
qu'ils	dussent

Plus-que-parfait

que j'	eusse	dû
que tu	eusses	dû
qu'il	eût	dû
que n.	eussions	dû
que v.	eussiez	dû
qu'ils	eussent	dû

IMPÉRATIF

Présent

dois
devons
devez

Passé

aie	dû
ayons	dû
ayez	dû

CONDITIONNEL

Présent

je	devrais
tu	devrais
il	devrait
n.	devrions
v.	devriez
ils	devraient

Passé 1re forme

j'	aurais	dû
tu	aurais	dû
il	aurait	dû
n.	aurions	dû
v.	auriez	dû
ils	auraient	dû

Passé 2e forme

j'	eusse	dû
tu	eusses	dû
il	eût	dû
n.	eussions	dû
v.	eussiez	dû
ils	eussent	dû

INFINITIF

Présent

devoir

Passé

avoir dû

PARTICIPE

Présent

devant

Passé

dû, ue
ayant dû

Ainsi se conjuguent **devoir** et **redevoir** qui prennent un accent circonflexe au participe passé *masculin singulier* seulement : *dû, redû.* Mais on écrit sans accent : *due, dus, dues; redue, redus, redues.* L'impératif est peu usité.

43 VERBE **POUVOIR**

INDICATIF

Présent		Passé composé	
je	peux	j'	ai	pu
ou je	puis	tu as	pu
tu	peux	il a	pu
il	peut	n. avons	pu
nous	pouvons	v. avez	pu
vous	pouvez	ils ont	pu
ils	peuvent		

Imparfait		Plus-que-parfait	
je	pouvais	j'	avais	pu
tu	pouvais	tu avais	pu
il	pouvait	il avait	pu
nous	pouvions	n. avions	pu
vous	pouviez	v. aviez	pu
ils	pouvaient	ils avaient	pu

Passé simple		Passé antérieur	
je	pus	j'	eus	pu
tu	pus	tu eus	pu
il	put	il eut	pu
nous	pûmes	n. eûmes	pu
vous	pûtes	v. eûtes	pu
ils	purent	ils eurent	pu

Futur simple		Futur antérieur	
je	pourrai	j'	aurai	pu
tu	pourras	tu auras	pu
il	pourra	il aura	pu
nous	pourrons	n. aurons	pu
vous	pourrez	v. aurez	pu
ils	pourront	ils auront	pu

SUBJONCTIF

Présent	Passé	
que je puisse	que j'	aie	pu
que tu puisses	que tu aies	pu
qu'il puisse	qu'il ait	pu
que n. puissions	que n. ayons	pu
que v. puissiez	que v. ayez	pu
qu'ils puissent	qu'ils aient	pu

Imparfait	Plus-que-parfait	
que je pusse	que j'	eusse	pu
que tu pusses	que tu eusses	pu
qu'il pût	qu'il eût	pu
que n. pussions	que n. eussions pu
que v. pussiez	que v. eussiez	pu
qu'ils pussent	qu'ils eussent	pu

IMPÉRATIF

pas d'impératif

CONDITIONNEL

Présent		Passé 1re forme	
je	pourrais	j'	aurais	pu
tu	pourrais	tu aurais	pu
il	pourrait	il aurait	pu
n.	pourrions	n. aurions	pu
v.	pourriez	v. auriez	pu
ils	pourraient	ils auraient pu

Passé 2e forme		
j'	eusse	pu
tu	eusses	pu
il	eût	pu
n.	eussions pu
v.	eussiez	pu
ils	eussent	pu

INFINITIF

Présent	Passé
pouvoir	avoir pu

PARTICIPE

Présent	Passé
pouvant	pu
	ayant pu

Remarques. Le verbe **pouvoir** prend deux **r** au futur et au présent du conditionnel, mais, à la différence de **mourir** et **courir,** on n'en prononce qu'un.
Je puis semble d'un emploi plus distingué que *je peux.* On ne dit pas : *peux-je ?* mais *puis-je ?*
Il se peut que se dit pour *il peut se faire que* au sens de *il peut arriver que, il est possible que.* Il se construit alors normalement avec le subjonctif.

INDICATIF

Présent			Passé composé		
je	meus		j'	ai	mû
tu	meus		tu	as	mû
il	meut		il	a	mû
nous	mouvons		n.	avons	mû
vous	mouvez		v.	avez	mû
ils	meuvent		ils	ont	mû

Imparfait			Plus-que-parfait		
je	mouvais		j'	avais	mû
tu	mouvais		tu	avais	mû
il	mouvait		il	avait	mû
nous	mouvions		n.	avions	mû
vous	mouviez		v.	aviez	mû
ils	mouvaient		ils	avaient	mû

Passé simple			Passé antérieur		
je	mus		j'	eus	mû
tu	mus		tu	eus	mû
il	mut		il	eut	mû
nous	mûmes		n.	eûmes	mû
vous	mûtes		v.	eûtes	mû
ils	murent		ils	eurent	mû

Futur simple			Futur antérieur		
je	mouvrai		j'	aurai	mû
tu	mouvras		tu	auras	mû
il	mouvra		il	aura	mû
nous	mouvrons		n.	aurons	mû
vous	mouvrez		v.	aurez	mû
ils	mouvront		ils	auront	mû

SUBJONCTIF

Présent		Passé		
que je meuve		que j'	aie	mû
que tu meuves		que tu	aies	mû
qu'il meuve		qu'il	ait	mû
que n. mouvions		que n.	ayons	mû
que v. mouviez		que v.	ayez	mû
qu'ils meuvent		qu'ils	aient	mû

Imparfait		Plus-que-parfait		
que je musse		que j'	eusse	mû
que tu musses		que tu	eusses	mû
qu'il mût		qu'il	eût	mû
que n. mussions		que n.	eussions	mû
que v. mussiez		que v.	eussiez	mû
qu'ils mussent		qu'ils	eussent	mû

IMPÉRATIF

Présent	Passé	
meus	aie	mû
mouvons	ayons	mû
mouvez	ayez	mû

CONDITIONNEL

Présent		Passé 1re forme		
je	mouvrais	j'	aurais	mû
tu	mouvrais	tu	aurais	mû
il	mouvrait	il	aurait	mû
n.	mouvrions	n.	aurions	mû
v.	mouvriez	v.	auriez	mû
ils	mouvraient	ils	auraient	mû

Passé 2e forme		
j'	eusse	mû
tu	eusses	mû
il	eût	mû
n.	eussions	mû
v.	eussiez	mû
ils	eussent	mû

INFINITIF

Présent	Passé
mouvoir	avoir mû

PARTICIPE

Présent	Passé
mouvant	mû, ue
	ayant mû

Ainsi se conjuguent les composés **émouvoir** et **promouvoir** qui, à la différence de **mouvoir,** ne prennent pas d'accent circonflexe au participe passé : *ému; promu.*

INDICATIF

Présent	Passé composé
il pleut	il a plu

Imparfait	Plus-que-parfait
il pleuvait	il avait plu

Passé simple	Passé antérieur
il plut	il eut plu

Futur simple	Futur antérieur
il pleuvra	il aura plu

SUBJONCTIF

Présent	Passé
qu'il pleuve	qu'il ait plu

Imparfait	Plus-que-parfait
qu'il plût	qu'il eût plu

IMPÉRATIF

pas d'impératif

CONDITIONNEL

Présent	Passé 1ʳᵉ forme
il pleuvrait	il aurait plu

Passé 2ᵉ forme

il eût plu

INFINITIF

Présent	Passé
pleuvoir	avoir plu

PARTICIPE

Présent	Passé
pleuvant	plu
	ayant plu

Nota. Quoique impersonnel, ce verbe s'emploie au pluriel, mais dans le sens figuré : **Les coups de fusil** *pleuvent,* **les sarcasmes** *pleuvent* **sur lui, les honneurs** *pleuvaient* **sur sa personne.**

INDICATIF

Présent	Passé composé
il faut	il a fallu

Imparfait	Plus-que-parfait
il fallait	il avait fallu

Passé simple	Passé antérieur
il fallut	il eut fallu

Futur simple	Futur antérieur
il faudra	il aura fallu

SUBJONCTIF

Présent	Passé
qu'il faille	qu'il ait fallu

Imparfait	Plus-que-parfait
qu'il fallût	qu'il eût fallu

IMPÉRATIF

pas d'impératif

CONDITIONNEL

Présent	Passé 1ʳᵉ forme
il faudrait	il aurait fallu

	Passé 2ᵉ forme
	il eût fallu

INFINITIF

Présent
falloir

PARTICIPE

Passé
fallu

Dans les expressions : *il s'en faut de beaucoup, tant s'en faut, peu s'en faut,* la forme **faut** vient, non de **falloir,** mais de **faillir,** au sens de *manquer, faire défaut.*

INDICATIF

Présent

je	vaux
tu	vaux
il	vaut
nous	valons
vous	valez
ils	valent

Passé composé

j'	ai	valu
tu	as	valu
il	a	valu
n.	avons	valu
v.	avez	valu
ils	ont	valu

Imparfait

je	valais
tu	valais
il	valait
nous	valions
vous	valiez
ils	valaient

Plus-que-parfait

j'	avais	valu
tu	avais	valu
il	avait	valu
n.	avions	valu
v.	aviez	valu
ils	avaient	valu

Passé simple

je	valus
tu	valus
il	valut
nous	valûmes
vous	valûtes
ils	valurent

Passé antérieur

j'	eus	valu
tu	eus	valu
il	eut	valu
n.	eûmes	valu
v.	eûtes	valu
ils	eurent	valu

Futur simple

je	vaudrai
tu	vaudras
il	vaudra
nous	vaudrons
vous	vaudrez
ils	vaudront

Futur antérieur

j'	aurai	valu
tu	auras	valu
il	aura	valu
n.	aurons	valu
v.	aurez	valu
ils	auront	valu

SUBJONCTIF

Présent

que je	vaille
que tu	vailles
qu'il	vaille
que n.	valions
que v.	valiez
qu'ils	vaillent

Passé

que j'	aie	valu
que tu	aies	valu
qu'il	ait	valu
que n.	ayons	valu
que v.	ayez	valu
qu'ils	aient	valu

Imparfait

que je	valusse
que tu	valusses
qu'il	valût
que n.	valussions
que v.	valussiez
qu'ils	valussent

Plus-que-parfait

que j'	eusse	valu
que tu	eusses	valu
qu'il	eût	valu
que n.	eussions	valu
que v.	eussiez	valu
qu'ils	eussent	valu

IMPÉRATIF

Présent

vaux
valons
valez

Passé

aie valu
ayons valu
ayez valu

CONDITIONNEL

Présent

je	vaudrais
tu	vaudrais
il	vaudrait
n.	vaudrions
v.	vaudriez
ils	vaudraient

Passé 1re forme

j'	aurais	valu
tu	aurais	valu
il	aurait	valu
n.	aurions	valu
v.	auriez	valu
ils	auraient	valu

Passé 2e forme

j'	eusse	valu
tu	eusses	valu
il	eût	valu
n.	eussions	valu
v.	eussiez	valu
ils	eussent	valu

INFINITIF

Présent

valoir

Passé

avoir valu

PARTICIPE

Présent

valant

Passé

valu, ue
ayant valu

Ainsi se conjuguent **équivaloir**, **prévaloir**, **revaloir**, mais au subjonctif présent **prévaloir** fait : *que je prévale... que nous prévalions...* Les participes passés *prévalu* et *équivalu* sont invariables.

INDICATIF

Présent	Passé composé
je veux	j' ai voulu
tu veux	tu as voulu
il veut	il a voulu
nous voulons	n. avons voulu
vous voulez	v. avez voulu
ils veulent	ils ont voulu

Imparfait	Plus-que-parfait
je voulais	j' avais voulu
tu voulais	tu avais voulu
il voulait	il avait voulu
nous voulions	n. avions voulu
vous vouliez	v. aviez voulu
ils voulaient	ils avaient voulu

Passé simple	Passé antérieur
je voulus	j' eus voulu
tu voulus	tu eus voulu
il voulut	il eut voulu
nous voulûmes	n. eûmes voulu
vous voulûtes	v. eûtes voulu
ils voulurent	ils eurent voulu

Futur simple	Futur antérieur
je voudrai	j' aurai voulu
tu voudras	tu auras voulu
il voudra	il aura voulu
nous voudrons	n. aurons voulu
vous voudrez	v. aurez voulu
ils voudront	ils auront voulu

SUBJONCTIF

Présent	Passé
que je veuille	que j' aie voulu
que tu veuilles	que tu aies voulu
qu'il veuille	qu'il ait voulu
que n. voulions	que n. ayons voulu
que v. vouliez	que v. ayez voulu
qu'ils veuillent	qu'ils aient voulu

Imparfait	Plus-que-parfait
que je voulusse	que j' eusse voulu
que tu voulusses	que tu eusses voulu
qu'il voulût	qu'il eût voulu
que n. voulussions	que n. eussions voulu
que v. voulussiez	que v. eussiez voulu
qu'ils voulussent	qu'ils eussent voulu

IMPÉRATIF

Présent	Passé
veux (veuille)	aie voulu
voulons	ayons voulu
voulez (veuillez)	ayez voulu

CONDITIONNEL

Présent	Passé 1re forme
je voudrais	j' aurais voulu
tu voudrais	tu aurais voulu
il voudrait	il aurait voulu
n. voudrions	n. aurions voulu
v. voudriez	v. auriez voulu
ils voudraient	ils auraient voulu

Passé 2e forme	
j' eusse	voulu
tu eusses	voulu
il eût	voulu
n. eussions	voulu
v. eussiez	voulu
ils eussent	voulu

INFINITIF

Présent	Passé
vouloir	avoir voulu

PARTICIPE

Présent	Passé
voulant	voulu, ue
	ayant voulu

L'impératif *veux, voulons, voulez,* n'est d'usage que dans certaines occasions très rares où l'on engage à s'armer d'une ferme volonté : *Veux donc, malheureux, et tu seras sauvé.* Mais pour inviter poliment, on dit *veuille, veuillez,* au sens de : *aie, ayez la bonté de : Veuillez agréer mes respectueuses salutations.* Au subjonctif présent les formes primitives : *que nous voulions, que vous vouliez,* reprennent le pas sur : *que nous veuillions, que vous veuilliez* senties comme anciennes et recherchées.

Avec le pronom adverbial **en** qui donne à ce verbe le sens de : *avoir du ressentiment,* on trouve couramment : *ne m'en veux pas, ne m'en voulez pas,* alors que la langue littéraire préfère *ne m'en veuille pas, ne m'en veuillez pas.*

INDICATIF

Présent		Futur simple	
j'	assieds	j'	assiérai
tu	assieds	tu	assiéras
il	assied	il	assiéra
nous	asseyons	n.	assiérons
vous	asseyez	v.	assiérez
ils	asseyent	ils	assiéront

ou *ou*

j'	ass ois	j'	ass oirai
tu	ass ois	tu	ass oiras
il	ass oit	il	ass oira
nous	ass oyons	n.	ass oirons
vous	ass oyez	v.	ass oirez
ils	ass oient	ils	ass oiront

Imparfait

j'	asseyais
tu	asseyais
il	asseyait
nous	asseyions
vous	asseyiez
ils	asseyaient

ou

j'	ass oyais
tu	ass oyais
il	ass oyait
nous	ass oyions
vous	ass oyiez
ils	ass oyaient

Passé composé

j'	ai	assis
tu	as	assis
il	a	assis
n.	avons	assis
v.	avez	assis
ils	ont	assis

Plus-que-parfait

j'	avais	assis
tu	avais	assis
il	avait	assis
n.	avions	assis
v.	aviez	assis
ils	avaient	assis

Passé simple

j'	ass is
tu	ass is
il	ass it
nous	ass îmes
vous	ass îtes
ils	ass irent

Passé antérieur

j'	eus	assis
tu	eus	assis
il	eut	assis
n.	eûmes	assis
v.	eûtes	assis
ils	eurent	assis

Futur antérieur

j'	aurai	assis
tu	auras	assis
il	aura	assis
n.	aurons	assis
v.	aurez	assis
ils	auront	assis

SUBJONCTIF

Présent		Passé		
que j'	asseye	que j'	aie	assis
que tu	asseyes	que tu	aies	assis
qu'il	asseye	qu'il	ait	assis
que n.	asseyions	que n.	ayons	assis
que v.	asseyiez	que v.	ayez	assis
qu'ils	asseyent	qu'ils	aient	assis

ou

que j'	ass oie
que tu	ass oies
qu'il	ass oie
que n.	ass oyions
que v.	ass oyiez
qu'ils	ass oient

Imparfait

que j'	ass isse
que tu	ass isses
qu'il	ass ît
que n.	ass issions
que v.	ass issiez
qu'ils	ass issent

Plus-que-parfait

que j'	eusse	assis
que tu	eusses	assis
qu'il	eût	assis
que n.	eussions	assis
que v.	eussiez	assis
qu'ils	eussent	assis

IMPÉRATIF

Présent	*ou*		Passé	
assieds	*ass ois*		aie	assis
asseyons	*ass oyons*		ayons	assis
asseyez	*ass oyez*		ayez	assis

CONDITIONNEL

Présent		Passé 1re forme		
j'	assiérais	j'	aurais	assis
tu	assiérais	tu	aurais	assis
il	assiérait	il	aurait	assis
n.	assiérions	n.	aurions	assis
v.	assiériez	v.	auriez	assis
ils	assiéraient	ils	auraient	assis

ou Passé 2e forme

j'	ass oirais	j'	eusse	assis
tu	ass oirais	tu	eusses	assis
il	ass oirait	il	eût	assis
n.	ass oirions	n.	eussions	assis
v.	ass oiriez	v.	eussiez	assis
ils	ass oiraient	ils	eussent	assis

INFINITIF		PARTICIPE	
Présent	*Passé*	*Présent*	*Passé*
ass eoir	avoir assis	ass eyant **ou** ass oyant	assis, ise ayant assis

Ce verbe se conjugue surtout à la forme pronominale : **s'asseoir ;** l'infinitif *asseoir* s'orthographie avec un **e** étymologique, à la différence de l'indicatif présent : *j'assois* et futur : *j'assoirai.* Les formes en **ie** et en **ey** sont préférables aux formes en **oi** moins distinguées. Le futur et le conditionnel : *j'asseyerai..., j'asseyerais...,* sont actuellement sortis de l'usage.

VERBE **SEOIR** : CONVENIR

INDICATIF			SUBJONCTIF
Présent	*Imparfait*	*Futur*	*Présent*
il sied	il seyait	il siéra	qu'il siée
ils siéent	ils seyaient	ils siéront	qu'ils siéent

CONDITIONNEL	INFINITIF	PARTICIPE
Présent	*Présent*	*Présent*
il siérait	seoir	séant (seyant)
ils siéraient		

Remarque : Ce verbe n'a pas de temps composés.

Le verbe **SEOIR** dans le sens d'**être assis, prendre séance,** n'existe qu'aux formes suivantes :
PARTICIPE présent : *séant* (employé parfois comme nom : cf. « *sur son séant* »).
PARTICIPE passé : *sis, sise* qui ne s'emploie plus guère qu'adjectivement en style de barreau au lieu de *situé, située : Hôtel sis à Paris.*

VERBE **MESSEOIR** : N'ÊTRE PAS CONVENABLE

INDICATIF			SUBJONCTIF
Présent	*Imparfait*	*Futur*	*Présent*
il messied	il messeyait	il messiéra	qu'il messiée
ils messiéent	ils messeyaient	ils messiéront	qu'ils messiéent

CONDITIONNEL	INFINITIF	PARTICIPE
Présent	*Présent*	*Présent*
il messiérait	messeoir	messéant
ils messiéraient		

Remarque : Ce verbe n'a pas de temps composés.

INDICATIF

Présent		Passé composé	
je	sursois	j' ai	sursis
tu	sursois	tu as	sursis
il	sursoit	il a	sursis
nous	sursoyons	n. avons	sursis
vous	sursoyez	v. avez	sursis
ils	sursoient	ils ont	sursis

Imparfait		Plus-que-parfait	
je	sursoyais	j' avais	sursis
tu	sursoyais	tu avais	sursis
il	sursoyait	il avait	sursis
nous	sursoyions	n. avions	sursis
vous	sursoyiez	v. aviez	sursis
ils	sursoyaient	ils avaient	sursis

Passé simple		Passé antérieur	
je	sursis	j' eus	sursis
tu	sursis	tu eus	sursis
il	sursit	il eut	sursis
nous	sursîmes	n. eûmes	sursis
vous	sursîtes	v. eûtes	sursis
ils	sursirent	ils eurent	sursis

Futur simple		Futur antérieur	
je	surseoirai	j' aurai	sursis
tu	surseoiras	tu auras	sursis
il	surseoira	il aura	sursis
nous	surseoirons	n. aurons	sursis
vous	surseoirez	v. aurez	sursis
ils	surseoiront	ils auront	sursis

SUBJONCTIF

Présent	Passé	
que je sursoie	que j' aie	sursis
que tu sursoies	que tu aies	sursis
qu'il sursoie	qu'il ait	sursis
que n. sursoyions	que n. ayons	sursis
que v. sursoyiez	que v. ayez	sursis
qu'ils sursoient	qu'ils aient	sursis

Imparfait	Plus-que-parfait	
que je sursisse	que j' eusse	sursis
que tu sursisses	que tu eusses	sursis
qu'il sursît	qu'il eût	sursis
que n. sursissions	que n. eussions	sursis
que v. sursissiez	que v. eussiez	sursis
qu'ils sursissent	qu'ils eussent	sursis

IMPÉRATIF

Présent	Passé	
sursois	aie	sursis
sursoyons	ayons	sursis
sursoyez	ayez	sursis

CONDITIONNEL

Présent		Passé 1re forme	
je	surseoirais	j' aurais	sursis
tu	surseoirais	tu aurais	sursis
il	surseoirait	il aurait	sursis
n.	surseoirions	n. aurions	sursis
v.	surseoiriez	v. auriez	sursis
ils	surseoiraient	ils auraient	sursis

Passé 2e forme		
j'	eusse	sursis
tu	eusses	sursis
il	eût	sursis
n.	eussions	sursis
v.	eussiez	sursis
ils	eussent	sursis

INFINITIF

Présent	Passé
surseoir	avoir sursis

PARTICIPE

Présent	Passé
sursoyant	sursis, ise
	ayant sursis

Surseoir a généralisé les formes en **oi** du verbe **asseoir,** avec cette particularité que l'**e** de l'infinitif se retrouve au futur et au conditionnel : *je surseoirai, je surseoirais.*

VERBE **CHOIR** (temps simples) 52

INDICATIF

Présent	Passé simple	Futur simple
je chois	je chus	je choirai, etc.
tu chois	il chut	*je cherrai*
il choit		
ils choient		

SUBJONCTIF

Imparfait

qu'il chût

CONDITIONNEL

Présent

je choirais, etc.
je cherrais

INFINITIF

Présent

choir

PARTICIPE

Passé

chu, chue

VERBE **ÉCHOIR** (temps simples)

INDICATIF

Présent	Passé simple	Futur simple
il échoit	il échut	il échoira
il échet	ils échurent	*il écherra*
ils échoient		ils échoiront
ils échéent		*ils écherront*

SUBJONCTIF

Présent : qu'il échoie

Imparfait : qu'il échût

CONDITIONNEL

Présent

il échoirait
il écherrait
ils échoiraient
ils écherraient

INFINITIF

Présent

échoir

PARTICIPE

Présent : échéant

Passé : échu, échue

VERBE **DÉCHOIR** (temps simples)

INDICATIF

Présent	Passé simple	Futur simple
je déchois	je déchus	je déchoirai, etc.
tu déchois		*je décherrai*
il déchoit		
il déchet		
nous déchoyons		
vous déchoyez		
ils déchoient		

SUBJONCTIF

Présent

que je déchoie
que n. déchoyons

Imparfait

que je déchusse

CONDITIONNEL

Présent

je déchoirais etc.
je décherrais

INFINITIF

Présent

déchoir

PARTICIPE

Passé

déchu, déchue

Les formes en italique sont tout à fait désuètes.
Aux temps composés, **choir** et **échoir** prennent l'auxiliaire **être** : *il est chu, il est échu*. **Déchoir** utilise tantôt **être,** tantôt **avoir** selon que l'on veut insister sur l'action ou sur son résultat : *Il **a** déchu rapidement ; il **est** définitivement déchu.*

53 VERBES EN -DRE : RENDRE
VERBES EN -ANDRE, -ENDRE, -ONDRE, -ERDRE, -ORDRE[1]

INDICATIF				**SUBJONCTIF**			
Présent		*Passé composé*		*Présent*		*Passé*	
je	ren ds	j' ai	rendu	que je ren de		que j' aie	rendu
tu	ren ds	tu as	rendu	que tu ren des		que tu aies	rendu
il	ren d	il a	rendu	qu'il ren de		qu'il ait	rendu
nous ren dons		n. avons	rendu	que n. ren dions		que n. ayons	rendu
vous	ren dez	v. avez	rendu	que v. ren diez		que v. ayez	rendu
ils	ren dent	ils ont	rendu	qu'ils ren dent		qu'ils aient	rendu

Imparfait		*Plus-que-parfait*		*Imparfait*		*Plus-que-parfait*	
je	ren dais	j' avais	rendu	que je ren disse		que j' eusse	rendu
tu	ren dais	tu avais	rendu	que tu ren disses		que tu eusses	rendu
il	ren dait	il avait	rendu	qu'il ren dît		qu'il eût	rendu
nous ren dions		n. avions	rendu	que n. ren dissions		que n. eussions	rendu
vous	ren diez	v. aviez	rendu	que v. ren dissiez		que v. eussiez	rendu
ils	ren daient	ils avaient	rendu	qu'ils ren dissent		qu'ils eussent	rendu

Passé simple		*Passé antérieur*		**IMPÉRATIF**			
je	ren dis	j' eus	rendu	*Présent*		*Passé*	
tu	ren dis	tu eus	rendu	ren ds		aie	rendu
il	ren dit	il eut	rendu	ren dons		ayons	rendu
nous ren dîmes		n. eûmes	rendu	ren dez		ayez	rendu
vous	ren dîtes	v. eûtes	rendu				
ils	ren dirent	ils eurent	rendu				

Futur simple		*Futur antérieur*		**CONDITIONNEL**			
				Présent		*Passé 1re forme*	
je	ren drai	j' aurai	rendu	je	ren drais	j' aurais	rendu
tu	ren dras	tu auras	rendu	tu	ren drais	tu aurais	rendu
il	ren dra	il aura	rendu	il	ren drait	il aurait	rendu
nous ren drons		n. aurons	rendu	n.	ren drions	n. aurions	rendu
vous	ren drez	v. aurez	rendu	v.	ren driez	v. auriez	rendu
ils	ren dront	ils auront	rendu	ils	ren draient	ils auraient	rendu

INFINITIF		**PARTICIPE**		*Passé 2e forme*		
Présent	*Passé*	*Présent*	*Passé*	j'	eusse	rendu
				tu	eusses	rendu
ren dre	avoir rendu	ren dant	ren du, ue	il	eût	rendu
			ayant rendu	n.	eussions	rendu
				v.	eussiez	rendu
				ils	eussent	rendu

1. Voir page 102 la liste des nombreux verbes en **-dre** qui se conjuguent comme **rendre** (sauf **prendre** et ses composés : voir tableau 54). Ainsi se conjuguent en outre les verbes **rompre**, **corrompre** et **interrompre** dont la seule particularité est de prendre un **t** à la suite du **p** à la 3e personne de l'indicatif présent : *il rompt*.

INDICATIF

Présent

je	pr ends
tu	pr ends
il	pr end
nous	pr enons
vous	pr enez
ils	pr ennent

Passé composé

j'	ai	pris
tu	as	pris
il	a	pris
n.	avons	pris
v.	avez	pris
ils	ont	pris

Imparfait

je	pr enais
tu	pr enais
il	pr enait
nous	pr enions
vous	pr eniez
ils	pr enaient

Plus-que-parfait

j'	avais	pris
tu	avais	pris
il	avait	pris
n.	avions	pris
v.	aviez	pris
ils	avaient	pris

Passé simple

je	pr is
tu	pr is
il	pr it
nous	pr îmes
vous	pr îtes
ils	pr irent

Passé antérieur

j'	eus	pris
tu	eus	pris
il	eut	pris
n.	eûmes	pris
v.	eûtes	pris
ils	eurent	pris

Futur simple

je	pr endrai
tu	pr endras
il	pr endra
nous	pr endrons
vous	pr endrez
ils	pr endront

Futur antérieur

j'	aurai	pris
tu	auras	pris
il	aura	pris
n.	aurons	pris
v.	aurez	pris
ils	auront	pris

SUBJONCTIF

Présent

que je pr	enne
que tu pr	ennes
qu'il pr	enne
que n. pr	enions
que v. pr	eniez
qu'ils pr	ennent

Passé

que j'	aie	pris
que tu	aies	pris
qu'il	ait	pris
que n.	ayons	pris
que v.	ayez	pris
qu'ils	aient	pris

Imparfait

que je pr	isse
que tu pr	isses
qu'il pr	ît
que n. pr	issions
que v. pr	issiez
qu'ils pr	issent

Plus-que-parfait

que j'	eusse	pris
que tu	eusses	pris
qu'il	eût	pris
que n.	eussions	pris
que v.	eussiez	pris
qu'ils	eussent	pris

IMPÉRATIF

Présent

pr ends
pr enons
pr enez

Passé

aie	pris
ayons	pris
ayez	pris

CONDITIONNEL

Présent

je	pr endrais
tu	pr endrais
il	pr endrait
n.	pr endrions
v.	pr endriez
ils	pr endraient

Passé 1re forme

j'	aurais	pris
tu	aurais	pris
il	aurait	pris
n.	aurions	pris
v.	auriez	pris
ils	auraient	pris

Passé 2e forme

j'	eusse	pris
tu	eusses	pris
il	eût	pris
n.	eussions	pris
v.	eussiez	pris
ils	eussent	pris

INFINITIF

Présent

pr endre

Passé

avoir pris

PARTICIPE

Présent

pr enant

Passé

pr is, pr ise
ayant pris

Ainsi se conjuguent les composés de **prendre** (page 102).

INDICATIF

Présent		Passé composé	
je	bats	j' ai	battu
tu	bats	tu as	battu
il	bat	il a	battu
nous	battons	n. avons	battu
vous	battez	v. avez	battu
ils	battent	ils ont	battu

Imparfait		Plus-que-parfait	
je	battais	j' avais	battu
tu	battais	tu avais	battu
il	battait	il avait	battu
nous	battions	n. avions	battu
vous	battiez	v. aviez	battu
ils	battaient	ils avaient	battu

Passé simple		Passé antérieur	
je	battis	j' eus	battu
tu	battis	tu eus	battu
il	battit	il eut	battu
nous	battîmes	n. eûmes	battu
vous	battîtes	v. eûtes	battu
ils	battirent	ils eurent	battu

Futur simple		Futur antérieur	
je	battrai	j' aurai	battu
tu	battras	tu auras	battu
il	battra	il aura	battu
nous	battrons	n. aurons	battu
vous	battrez	v. aurez	battu
ils	battront	ils auront	battu

SUBJONCTIF

Présent	Passé	
que je batte	que j' aie	battu
que tu battes	que tu aies	battu
qu'il batte	qu'il ait	battu
que n. battions	que n. ayons	battu
que v. battiez	que v. ayez	battu
qu'ils battent	qu'ils aient	battu

Imparfait	Plus-que-parfait	
que je battisse	que j' eusse	battu
que tu battisses	que tu eusses	battu
qu'il battît	qu'il eût	battu
que n. battissions	que n. eussions	battu
que v. battissiez	que v. eussiez	battu
qu'ils battissent	qu'ils eussent	battu

IMPÉRATIF

Présent	Passé	
bats	aie	battu
battons	ayons	battu
battez	ayez	battu

CONDITIONNEL

Présent		Passé 1re forme	
je	battrais	j'	aurais battu
tu	battrais	tu	aurais battu
il	battrait	il	aurait battu
n.	battrions	n.	aurions battu
v.	battriez	v.	auriez battu
ils	battraient	ils	auraient battu

	Passé 2e forme	
j'	eusse	battu
tu	eusses	battu
il	eût	battu
n.	eussions	battu
v.	eussiez	battu
ils	eussent	battu

INFINITIF

Présent	Passé
battre	avoir battu

PARTICIPE

Présent	Passé
battant	battu, ue
	ayant battu

Ainsi se conjuguent les composés de **battre** (page 103).

INDICATIF

Présent

je	mets
tu	mets
il	met
nous	mettons
vous	mettez
ils	mettent

Passé composé

j'	ai	mis
tu	as	mis
il	a	mis
n.	avons	mis
v.	avez	mis
ils	ont	mis

Imparfait

je	mettais
tu	mettais
il	mettait
nous	mettions
vous	mettiez
ils	mettaient

Plus-que-parfait

j'	avais	mis
tu	avais	mis
il	avait	mis
n.	avions	mis
v.	aviez	mis
ils	avaient	mis

Passé simple

je	mis
tu	mis
il	mit
nous	mîmes
vous	mîtes
ils	mirent

Passé antérieur

j'	eus	mis
tu	eus	mis
il	eut	mis
n.	eûmes	mis
v.	eûtes	mis
ils	eurent	mis

Futur simple

je	mettrai
tu	mettras
il	mettra
nous	mettrons
vous	mettrez
ils	mettront

Futur antérieur

j'	aurai	mis
tu	auras	mis
il	aura	mis
n.	aurons	mis
v.	aurez	mis
ils	auront	mis

SUBJONCTIF

Présent

que je	mette
que tu	mettes
qu'il	mette
que n.	mettions
que v.	mettiez
qu'ils	mettent

Passé

que j'	aie	mis
que tu	aies	mis
qu'il	ait	mis
que n.	ayons	mis
que v.	ayez	mis
qu'ils	aient	mis

Imparfait

que je	misse
que tu	misses
qu'il	mît
que n.	missions
que v.	missiez
qu'ils	missent

Plus-que-parfait

que j'	eusse	mis
que tu	eusses	mis
qu'il	eût	mis
que n.	eussions	mis
que v.	eussiez	mis
qu'ils	eussent	mis

IMPÉRATIF

Présent

mets
mettons
mettez

Passé

aie	mis
ayons	mis
ayez	mis

CONDITIONNEL

Présent

je	mettrais
tu	mettrais
il	mettrait
n.	mettrions
v.	mettriez
ils	mettraient

Passé 1re forme

j'	aurais	mis
tu	aurais	mis
il	aurait	mis
n.	aurions	mis
v.	auriez	mis
ils	auraient	mis

Passé 2e forme

j'	eusse	mis
tu	eusses	mis
il	eût	mis
n.	eussions	mis
v.	eussiez	mis
ils	eussent	mis

INFINITIF

Présent

mettre

Passé

avoir mis

PARTICIPE

Présent

mettant

Passé

mis, ise
ayant mis

Ainsi se conjuguent les composés de **mettre** (page 103).

INDICATIF

Présent		Passé composé	
je	p eins	j' ai	peint
tu	p eins	tu as	peint
il	p eint	il a	peint
nous	p eignons	n. avons	peint
vous	p eignez	v. avez	peint
ils	p eignent	ils ont	peint

Imparfait		Plus-que-parfait	
je	p eignais	j' avais	peint
tu	p eignais	tu avais	peint
il	p eignait	il avait	peint
nous	p eignions	n. avions	peint
vous	p eigniez	v. aviez	peint
ils	p eignaient	ils avaient	peint

Passé simple		Passé antérieur	
je	p eignis	j' eus	peint
tu	p eignis	tu eus	peint
il	p eignit	il eut	peint
nous	p eignîmes	n. eûmes	peint
vous	p eignîtes	v. eûtes	peint
ils	p eignirent	ils eurent	peint

Futur simple		Futur antérieur	
je	p eindrai	j' aurai	peint
tu	p eindras	tu auras	peint
il	p eindra	il aura	peint
nous	p eindrons	n. aurons	peint
vous	p eindrez	v. aurez	peint
ils	p eindront	ils auront	peint

SUBJONCTIF

Présent		Passé	
que je	p eigne	que j' aie	peint
que tu	p eignes	que tu aies	peint
qu'il	p eigne	qu'il ait	peint
que n.	p eignions	que n. ayons	peint
que v.	p eigniez	que v. ayez	peint
qu'ils	p eignent	qu'ils aient	peint

Imparfait		Plus-que-parfait	
que je	p eignisse	que j' eusse	peint
que tu	p eignisses	que tu eusses	peint
qu'il	p eignît	qu'il eût	peint
que n.	p eignissions	que n. eussions	peint
que v.	p eignissiez	que v. eussiez	peint
qu'ils	p eignissent	qu'ils eussent	peint

IMPÉRATIF

Présent	Passé	
p eins	aie	peint
p eignons	ayons	peint
p eignez	ayez	peint

CONDITIONNEL

Présent		Passé 1ʳᵉ forme		
je	p eindrais	j'	aurais	peint
tu	p eindrais	tu	aurais	peint
il	p eindrait	il	aurait	peint
n.	p eindrions	n.	aurions	peint
v.	p eindriez	v.	auriez	peint
ils	p eindraient	ils	auraient	peint

Passé 2ᵉ forme		
j'	eusse	peint
tu	eusses	peint
il	eût	peint
n.	eussions	peint
v.	eussiez	peint
ils	eussent	peint

INFINITIF

Présent	Passé
p eindre	avoir peint

PARTICIPE

Présent	Passé
p eignant	p eint, einte
	ayant peint

Ainsi se conjuguent **astreindre, atteindre, ceindre, feindre, enfreindre, empreindre, geindre, teindre** et leurs composés (page 103).

INDICATIF

Présent

je	j oins
tu	j oins
il	j oint
nous	j oignons
vous	j oignez
ils	j oignent

Passé composé

j'	ai	joint
tu	as	joint
il	a	joint
n.	avons	joint
v.	avez	joint
ils	ont	joint

Imparfait

je	j oignais
tu	j oignais
il	j oignait
nous	j oignions
vous	j oigniez
ils	j oignaient

Plus-que-parfait

j'	avais	joint
tu	avais	joint
il	avait	joint
n.	avions	joint
v.	aviez	joint
ils	avaient	joint

Passé simple

je	j oignis
tu	j oignis
il	j oignit
nous	j oignîmes
vous	j oignîtes
ils	j oignirent

Passé antérieur

j'	eus	joint
tu	eus	joint
il	eut	joint
n.	eûmes	joint
v.	eûtes	joint
ils	eurent	joint

Futur simple

je	j oindrai
tu	j oindras
il	j oindra
nous	j oindrons
vous	j oindrez
ils	j oindront

Futur antérieur

j'	aurai	joint
tu	auras	joint
il	aura	joint
n.	aurons	joint
v.	aurez	joint
ils	auront	joint

SUBJONCTIF

Présent

que je	j oigne
que tu	j oignes
qu'il	j oigne
que n.	j oignions
que v.	j oigniez
qu'ils	j oignent

Passé

que j'	aie	joint
que tu	aies	joint
qu'il	ait	joint
que n.	ayons	joint
que v.	ayez	joint
qu'ils	aient	joint

Imparfait

que je	j oignisse
que tu	j oignisses
qu'il	j oignît
que n.	j oignissions
que v.	j oignissiez
qu'ils	j oignissent

Plus-que-parfait

que j'	eusse	joint
que tu	eusses	joint
qu'il	eût	joint
que n.	eussions	joint
que v.	eussiez	joint
qu'ils	eussent	joint

IMPÉRATIF

Présent

| j oins |
| j oignons |
| j oignez |

Passé

aie	joint
ayons	joint
ayez	joint

CONDITIONNEL

Présent

je	j oindrais
tu	j oindrais
il	j oindrait
n.	j oindrions
v.	j oindriez
ils	j oindraient

Passé 1re forme

j'	aurais	joint
tu	aurais	joint
il	aurait	joint
n.	aurions	joint
v.	auriez	joint
ils	auraient	joint

Passé 2e forme

j'	eusse	joint
tu	eusses	joint
il	eût	joint
n.	eussions	joint
v.	eussiez	joint
ils	eussent	joint

INFINITIF

Présent

j oindre

Passé

avoir joint

PARTICIPE

Présent

j oignant

Passé

j oint, te
ayant joint

Ainsi se conjuguent les composés de **joindre** (page 103) et les verbes archaïques **poindre** et **oindre**.

59 VERBES EN -AINDRE : CRAINDRE

INDICATIF

Présent		Passé composé	
je	cr ains	j' ai	craint
tu	cr ains	tu as	craint
il	cr aint	il a	craint
nous	cr aignons	n. avons	craint
vous	cr aignez	v. avez	craint
ils	cr aignent	ils ont	craint

Imparfait		Plus-que-parfait	
je	cr aignais	j' avais	craint
tu	cr aignais	tu avais	craint
il	cr aignait	il avait	craint
nous	cr aignions	n. avions	craint
vous	cr aigniez	v. aviez	craint
ils	cr aignaient	ils avaient	craint

Passé simple		Passé antérieur	
je	cr aignis	j' eus	craint
tu	cr aignis	tu eus	craint
il	cr aignit	il eut	craint
nous	cr aignîmes	n. eûmes	craint
vous	cr aignîtes	v. eûtes	craint
ils	cr aignirent	ils eurent	craint

Futur simple		Futur antérieur	
je	cr aindrai	j' aurai	craint
tu	cr aindras	tu auras	craint
il	cr aindra	il aura	craint
nous	cr aindrons	n. aurons	craint
vous	cr aindrez	v. aurez	craint
ils	cr aindront	ils auront	craint

SUBJONCTIF

Présent		Passé	
que je	cr aigne	que j'	aie	craint
que tu	cr aignes	que tu aies	craint
qu'il	cr aigne	qu'il ait	craint
que n.	cr aignions	que n. ayons	craint
que v.	cr aigniez	que v. ayez	craint
qu'ils	cr aignent	qu'ils aient	craint

Imparfait		Plus-que-parfait	
que je	cr aignisse	que j' eusse	craint
que tu	cr aignisses	que tu eusses	craint
qu'il	cr aignît	qu'il eût	craint
que n.	cr aignissions	que n. eussions	craint
que v.	cr aignissiez	que v. eussiez	craint
qu'ils	cr aignissent	qu'ils eussent	craint

IMPÉRATIF

Présent	Passé	
cr ains	aie	craint
cr aignons	ayons	craint
cr aignez	ayez	craint

CONDITIONNEL

Présent		Passé 1re forme	
je	cr aindrais	j'	aurais	craint
tu	cr aindrais	tu aurais	craint
il	cr aindrait	il aurait	craint
n.	cr aindrions	n. aurions	craint
v.	cr aindriez	v. auriez	craint
ils	cr aindraient	ils auraient	craint

Passé 2e forme		
j'	eusse	craint
tu	eusses	craint
il	eût	craint
n.	eussions	craint
v.	eussiez	craint
ils	eussent	craint

INFINITIF

Présent	Passé
cr aindre	avoir craint

PARTICIPE

Présent	Passé
cr aignant	cr aint, ainte
	ayant craint

Ainsi se conjuguent **contraindre** et **plaindre**.

INDICATIF

Présent		Passé composé	
je	vaincs	j' ai	vaincu
tu	vaincs	tu as	vaincu
il	vainc	il a	vaincu
nous	vainquons	n. avons	vaincu
vous	vainquez	v. avez	vaincu
ils	vainquent	ils ont	vaincu

Imparfait		Plus-que-parfait	
je	vainquais	j' avais	vaincu
tu	vainquais	tu avais	vaincu
il	vainquait	il avait	vaincu
nous	vainquions	n. avions	vaincu
vous	vainquiez	v. aviez	vaincu
ils	vainquaient	ils avaient	vaincu

Passé simple		Passé antérieur	
je	vainquis	j' eus	vaincu
tu	vainquis	tu eus	vaincu
il	vainquit	il eut	vaincu
nous	vainquîmes	n. eûmes	vaincu
vous	vainquîtes	v. eûtes	vaincu
ils	vainquirent	ils eurent	vaincu

Futur simple		Futur antérieur	
je	vaincrai	j' aurai	vaincu
tu	vaincras	tu auras	vaincu
il	vaincra	il aura	vaincu
nous	vaincrons	n. aurons	vaincu
vous	vaincrez	v. aurez	vaincu
ils	vaincront	ils auront	vaincu

SUBJONCTIF

Présent		Passé	
que je	vainque	que j' aie	vaincu
que tu	vainques	que tu aies	vaincu
qu'il	vainque	qu'il ait	vaincu
que n.	vainquions	que n. ayons	vaincu
que v.	vainquiez	que v. ayez	vaincu
qu'ils	vainquent	qu'ils aient	vaincu

Imparfait		Plus-que-parfait	
que je	vainquisse	que j' eusse	vaincu
que tu	vainquisses	que tu eusses	vaincu
qu'il	vainquît	qu'il eût	vaincu
que n.	vainquissions	que n. eussions	vaincu
que v.	vainquissiez	que v. eussiez	vaincu
qu'ils	vainquissent	qu'ils eussent	vaincu

IMPÉRATIF

Présent	Passé	
vaincs	aie	vaincu
vainquons	ayons	vaincu
vainquez	ayez	vaincu

CONDITIONNEL

Présent	Passé 1re forme	
je vaincrais	j' aurais	vaincu
tu vaincrais	tu aurais	vaincu
il vaincrait	il aurait	vaincu
n. vaincrions	n. aurions	vaincu
v. vaincriez	v. auriez	vaincu
ils vaincraient	ils auraient	vaincu

Passé 2e forme	
j' eusse	vaincu
tu eusses	vaincu
il eût	vaincu
n. eussions	vaincu
v. eussiez	vaincu
ils eussent	vaincu

INFINITIF

Présent	Passé
vaincre	avoir vaincu

PARTICIPE

Présent	Passé
vainquant	vaincu, ue
	ayant vaincu

Seule irrégularité du verbe *vaincre* : il ne prend pas le **t** final à la troisième personne du singulier du présent de l'indicatif : *il vainc*.
D'autre part devant une voyelle (sauf **u**) le **c** se change en **qu** : *nous vainquons*.
Ainsi se conjugue **convaincre**.

INDICATIF

Présent

je	trais	j' ai	trait
tu	trais	tu as	trait
il	trait	il a	trait
nous	trayons	n. avons	trait
vous	trayez	v. avez	trait
ils	traient	ils ont	trait

Passé composé

(see above)

Imparfait

je	trayais	j' avais	trait
tu	trayais	tu avais	trait
il	trayait	il avait	trait
nous	trayions	n. avions	trait
vous	trayiez	v. aviez	trait
ils	trayaient	ils avaient	trait

Plus-que-parfait

(see above)

Passé simple

N'existe pas

Passé antérieur

j' eus	trait
tu eus	trait
il eut	trait
n. eûmes	trait
v. eûtes	trait
ils eurent	trait

Futur simple

je	trairai	j' aurai	trait
tu	trairas	tu auras	trait
il	traira	il aura	trait
nous	trairons	n. aurons	trait
vous	trairez	v. aurez	trait
ils	trairont	ils auront	trait

Futur antérieur

(see above)

SUBJONCTIF

Présent

que je traie	que j' aie	trait
que tu traies	que tu aies	trait
qu'il traie	qu'il ait	trait
que n. trayions	que n. ayons	trait
que v. trayiez	que v. ayez	trait
qu'ils traient	qu'ils aient	trait

Passé

(see above)

Imparfait

N'existe pas

Plus-que-parfait

que j' eusse	trait
que tu eusses	trait
qu'il eût	trait
que n. eussions	trait
que v. eussiez	trait
qu'ils eussent	trait

IMPÉRATIF

Présent

trais
trayons
trayez

Passé

aie	trait
ayons	trait
ayez	trait

CONDITIONNEL

Présent

je	trairais
tu	trairais
il	trairait
n.	trairions
v.	trairiez
ils	trairaient

Passé 1re forme

j' aurais	trait
tu aurais	trait
il aurait	trait
n. aurions	trait
v. auriez	trait
ils auraient	trait

Passé 2e forme

j' eusse	trait
tu eusses	trait
il eût	trait
n. eussions	trait
v. eussiez	trait
ils eussent	trait

INFINITIF

Présent	Passé
traire	avoir trait

PARTICIPE

Présent	Passé
trayant	trait, aite
	ayant trait

Ainsi se conjuguent les composés de **traire** (au sens de *tirer*) comme **extraire, distraire,** etc. (voir page 103), de même le verbe **braire** qui ne s'emploie qu'aux 3e personnes de l'indicatif présent, du futur et du conditionnel.

INDICATIF

Présent		Passé composé		
je	fais	j'	ai	fait
tu	fais	tu	as	fait
il	fait	il	a	fait
nous	faisons	n.	avons	fait
vous	*faites*	v.	avez	fait
ils	font	ils	ont	fait

Imparfait		Plus-que-parfait		
je	faisais	j'	avais	fait
tu	faisais	tu	avais	fait
il	faisait	il	avait	fait
nous	faisions	n.	avions	fait
vous	faisiez	v.	aviez	fait
ils	faisaient	ils	avaient	fait

Passé simple		Passé antérieur		
je	fis	j'	eus	fait
tu	fis	tu	eus	fait
il	fit	il	eut	fait
nous	fîmes	n.	eûmes	fait
vous	fîtes	v.	eûtes	fait
ils	firent	ils	eurent	fait

Futur simple		Futur antérieur		
je	ferai	j'	aurai	fait
tu	feras	tu	auras	fait
il	fera	il	aura	fait
nous	ferons	n.	aurons	fait
vous	ferez	v.	aurez	fait
ils	feront	ils	auront	fait

SUBJONCTIF

Présent		Passé		
que je	fasse	que j'	aie	fait
que tu	fasses	que tu	aies	fait
qu'il	fasse	qu'il	ait	fait
que n.	fassions	que n.	ayons	fait
que v.	fassiez	que v.	ayez	fait
qu'ils	fassent	qu'ils	aient	fait

Imparfait		Plus-que-parfait		
que je	fisse	que j'	eusse	fait
que tu	fisses	que tu	eusses	fait
qu'il	fît	qu'il	eût	fait
que n.	fissions	que n.	eussions	fait
que v.	fissiez	que v.	eussiez	fait
qu'ils	fissent	qu'ils	eussent	fait

IMPÉRATIF

Présent	Passé	
fais	aie	fait
faisons	ayons	fait
faites	ayez	fait

CONDITIONNEL

Présent		Passé 1re forme		
je	ferais	j'	aurais	fait
tu	ferais	tu	aurais	fait
il	ferait	il	aurait	fait
n.	ferions	n.	aurions	fait
v.	feriez	v.	auriez	fait
ils	feraient	ils	auraient	fait

Passé 2e forme		
j'	eusse	fait
tu	eusses	fait
il	eût	fait
n.	eussions	fait
v.	eussiez	fait
ils	eussent	fait

INFINITIF

Présent	Passé
faire	avoir fait

PARTICIPE

Présent	Passé
faisant	fait, te
	ayant fait

Tout en écrivant **fai** on prononce *nous* fe*sons, je* fe*sais...,* fe*sons,* fe*sant;* en revanche on a aligné sur la prononciation l'orthographe de *je* fe*rai..., je* fe*rais...,* écrits avec un **e**. Noter les 2e personnes du pluriel *vous faites;* impératif : *faites. Vous faisez, faisez* sont de grossiers barbarismes. Ainsi se conjuguent les composés de **faire** (page 103).

63 VERBE **PLAIRE**

INDICATIF

Présent		Passé composé	
je	plais	j' ai	plu
tu	plais	tu as	plu
il	plaît	il a	plu
nous	plaisons	n. avons	plu
vous	plaisez	v. avez	plu
ils	plaisent	ils ont	plu

Imparfait		Plus-que-parfait	
je	plaisais	j' avais	plu
tu	plaisais	tu avais	plu
il	plaisait	il avait	plu
nous	plaisions	n. avions	plu
vous	plaisiez	v. aviez	plu
ils	plaisaient	ils avaient	plu

Passé simple		Passé antérieur	
je	plus	j' eus	plu
tu	plus	tu eus	plu
il	plut	il eut	plu
nous	plûmes	n. eûmes	plu
vous	plûtes	v. eûtes	plu
ils	plurent	ils eurent	plu

Futur simple		Futur antérieur	
je	plairai	j' aurai	plu
tu	plairas	tu auras	plu
il	plaira	il aura	plu
nous	plairons	n. aurons	plu
vous	plairez	v. aurez	plu
ils	plairont	ils auront	plu

SUBJONCTIF

Présent	Passé	
que je plaise	que j' aie	plu
que tu plaises	que tu aies	plu
qu'il plaise	qu'il ait	plu
que n. plaisions	que n. ayons	plu
que v. plaisiez	que v. ayez	plu
qu'ils plaisent	qu'ils aient	plu

Imparfait	Plus-que-parfait	
que je plusse	que j' eusse	plu
que tu plusses	que tu eusses	plu
qu'il plût	qu'il eût	plu
que n. plussions	que n. eussions	plu
que v. plussiez	que v. eussiez	plu
qu'ils plussent	qu'ils eussent	plu

IMPÉRATIF

Présent	Passé	
plais	aie	plu
plaisons	ayons	plu
plaisez	ayez	plu

CONDITIONNEL

Présent		Passé 1re forme	
je	plairais	j' aurais	plu
tu	plairais	tu aurais	plu
il	plairait	il aurait	plu
n.	plairions	n. aurions	plu
v.	plairiez	v. auriez	plu
ils	plairaient	ils auraient	plu

Passé 2e forme		
j'	eusse	plu
tu	eusses	plu
il	eût	plu
n.	eussions	plu
v.	eussiez	plu
ils	eussent	plu

INFINITIF

Présent	Passé
plaire	avoir plu

PARTICIPE

Présent	Passé
plaisant	plu
	ayant plu

Ainsi se conjuguent **complaire** et **déplaire,** de même que **taire** qui, lui, ne prend pas d'accent circonflexe au présent de l'indicatif : *il tait* et qui a un participe passé variable : *tu, tue.*

INDICATIF

Présent		*Passé composé*	
je	conn ais	j' ai	connu
tu	conn ais	tu as	connu
il	conn aît	il a	connu
nous	conn aissons	n. avons	connu
vous	conn aissez	v. avez	connu
ils	conn aissent	ils ont	connu

Imparfait		*Plus-que-parfait*	
je	conn aissais	j' avais	connu
tu	conn aissais	tu avais	connu
il	conn aissait	il avait	connu
nous	conn aissions	n. avions	connu
vous	conn aissiez	v. aviez	connu
ils	conn aissaient	ils avaient	connu

Passé simple		*Passé antérieur*	
je	conn us	j' eus	connu
tu	conn us	tu eus	connu
il	conn ut	il eut	connu
nous	conn ûmes	n. eûmes	connu
vous	conn ûtes	v. eûtes	connu
ils	conn urent	ils eurent	connu

Futur simple		*Futur antérieur*	
je	conn aîtrai	j' aurai	connu
tu	conn aîtras	tu auras	connu
il	conn aîtra	il aura	connu
nous	conn aîtrons	n. aurons	connu
vous	conn aîtrez	v. aurez	connu
ils	conn aîtront	ils auront	connu

INFINITIF

Présent	*Passé*
conn aître	avoir connu

SUBJONCTIF

Présent		*Passé*	
que je conn aisse		que j' aie	connu
que tu conn aisses		que tu aies	connu
qu'il conn aisse		qu'il ait	connu
que n. conn aissions		que n. ayons	connu
que v. conn aissiez		que v. ayez	connu
qu'ils conn aissent		qu'ils aient	connu

Imparfait		*Plus-que-parfait*	
que je conn usse		que j' eusse	connu
que tu conn usses		que tu eusses	connu
qu'il conn ût		qu'il eût	connu
que n. conn ussions		que n. eussions	connu
que v. conn ussiez		que v. eussiez	connu
qu'ils conn ussent		qu'ils eussent	connu

IMPÉRATIF

Présent	*Passé*	
conn ais	aie	connu
conn aissons	ayons	connu
conn aissez	ayez	connu

CONDITIONNEL

Présent		*Passé 1re forme*	
je	conn aîtrais	j'	aurais connu
tu	conn aîtrais	tu	aurais connu
il	conn aîtrait	il	aurait connu
n.	conn aîtrions	n.	aurions connu
v.	conn aîtriez	v.	auriez connu
ils	conn aîtraient	ils	auraient connu

Passé 2e forme		
j'	eusse	connu
tu	eusses	connu
il	eût	connu
n.	eussions	connu
v.	eussiez	connu
ils	eussent	connu

PARTICIPE

Présent	*Passé*
conn aissant	conn u, ue
	ayant connu

Ainsi se conjuguent **connaître, paraître** et tous leurs composés (page 103).
Tous les verbes en **-aître** prennent un accent circonflexe sur l'**i** qui précède le **t**, de même que tous les verbes en **-oître**.

INDICATIF

Présent		Passé composé	
je	nais	je suis	né
tu	nais	tu es	né
il	naît	il est	né
nous	naissons	n. sommes	nés
vous	naissez	v. êtes	nés
ils	naissent	ils sont	nés

Imparfait		Plus-que-parfait	
je	naissais	j' étais	né
tu	naissais	tu étais	né
il	naissait	il était	né
nous	naissions	n. étions	nés
vous	naissiez	v. étiez	nés
ils	naissaient	ils étaient	nés

Passé simple		Passé antérieur	
je	naquis	je fus	né
tu	naquis	tu fus	né
il	naquit	il fut	né
nous	naquîmes	n. fûmes	nés
vous	naquîtes	v. fûtes	nés
ils	naquirent	ils furent	nés

Futur simple		Futur antérieur	
je	naîtrai	je serai	né
tu	naîtras	tu seras	né
il	naîtra	il sera	né
nous	naîtrons	n. serons	nés
vous	naîtrez	v. serez	nés
ils	naîtront	ils seront	nés

SUBJONCTIF

Présent	Passé	
que je naisse	que je sois	né
que tu naisses	que tu sois	né
qu'il naisse	qu'il soit	né
que n. naissions	que n. soyons	nés
que v. naissiez	que v. soyez	nés
qu'ils naissent	qu'ils soient	nés

Imparfait	Plus-que-parfait	
que je naquisse	que je fusse	né
que tu naquisses	que tu fusses	né
qu'il naquît	qu'il fût	né
que n. naquissions	que n. fussions	nés
que v. naquissiez	que v. fussiez	nés
qu'ils naquissent	qu'ils fussent	nés

IMPÉRATIF

Présent	Passé	
nais	sois	né
naissons	soyons	nés
naissez	soyez	nés

CONDITIONNEL

Présent		Passé 1ʳᵉ forme	
je	naîtrais	je	serais né
tu	naîtrais	tu	serais né
il	naîtrait	il	serait né
n.	naîtrions	n.	serions nés
v.	naîtriez	v.	seriez nés
ils	naîtraient	ils	seraient nés

Passé 2ᵉ forme	
je fusse	né
tu fusses	né
il fût	né
n. fussions	nés
v. fussiez	nés
ils fussent	nés

INFINITIF

Présent	Passé
naître	être né

PARTICIPE

Présent	Passé
naissant	né, née
	étant né

Renaître, conjugué sur **naître,** n'a pas de participe passé ni de temps composés.

Le verbe **paître** n'a pas de *temps composés;* il n'est usité qu'aux *temps simples* suivants :

INDICATIF

Présent	Passé simple
je pais	
tu pais	
il paît	*N'existe pas*
nous paissons	
vous paissez	
ils paissent	

Imparfait	Futur simple
je paissais	je paîtrai
tu paissais	tu paîtras
il paissait	il paîtra
nous paissions	n. paîtrons
vous paissiez	v. paîtrez
ils paissaient	ils paîtront

INFINITIF / PARTICIPE

Présent	Présent
paître	paissant

SUBJONCTIF

Présent	Imparfait
que je paisse	
que tu paisses	
qu'il paisse	*N'existe pas*
que n. paissions	
que v. paissiez	
qu'ils paissent	

IMPÉRATIF

pais
paissez

CONDITIONNEL

Présent

je paîtrais
tu paîtrais
il paîtrait
n. paîtrions
v. paîtriez
ils paîtraient

Nota. Le participe passé : **pu,** invariable, n'est usité qu'en termes de fauconnerie.

VERBE **REPAÎTRE**

Repaître se conjugue comme **paître,** mais il a de plus les temps suivants :

INDICATIF

Passé simple

je repus

PARTICIPE

Passé

repu

SUBJONCTIF

Imparfait

que je repusse

Tous les temps composés

j'ai repu

j'avais repu, etc.

67 VERBES EN -OÎTRE : CROÎTRE

INDICATIF

Présent		Passé composé	
je	croîs	j' ai	crû
tu	croîs	tu as	crû
il	croît	il a	crû
nous	croissons	n. avons	crû
vous	croissez	v. avez	crû
ils	croissent	ils ont	crû

Imparfait		Passé antérieur	
je	croissais	j' eus	crû
tu	croissais	tu eus	crû
il	croissait	il eut	crû
nous	croissions	n. eûmes	crû
vous	croissiez	v. eûtes	crû
ils	croissaient	ils eurent	crû

Passé simple		Plus-que-parfait	
je	crûs	j' avais	crû
tu	crûs	tu avais	crû
il	crût	il avait	crû
nous	crûmes	n. avions	crû
vous	crûtes	v. aviez	crû
ils	crûrent	ils avaient	crû

Futur simple		Futur antérieur	
je	croîtrai	j' aurai	crû
tu	croîtras	tu auras	crû
il	croîtra	il aura	crû
nous	croîtrons	n. aurons	crû
vous	croîtrez	v. aurez	crû
ils	croîtront	ils auront	crû

SUBJONCTIF

Présent	Passé	
que je croisse	que j' aie	crû
que tu croisses	que tu aies	crû
qu'il croisse	qu'il ait	crû
que n. croissions	que n. ayons	crû
que v. croissiez	que v. ayez	-crû
qu'ils croissent	qu'ils aient	crû

Imparfait	Plus-que-parfait	
que je crûsse	que j' eusse	crû
que tu crûsses	que tu eusses	crû
qu'il crût	qu'il eût	crû
que n. crûssions	que n. eussions	crû
que v. crûssiez	que v. eussiez	crû
qu'ils crûssent	qu'ils eussent	crû

IMPÉRATIF

Présent	Passé	
croîs	aie	crû
croissons	ayons	crû
croissez	ayez	crû

CONDITIONNEL

Présent		Passé 1re forme		
je	croîtrais	j'	aurais	crû
tu	croîtrais	tu	aurais	crû
il	croîtrait	il	aurait	crû
n.	croîtrions	n.	aurions	crû
v.	croîtriez	v.	auriez	crû
ils	croîtraient	ils	auraient	crû

Passé 2e forme		
j'	eusse	crû
tu	eusses	crû
il	eût	crû
n.	eussions	crû
v.	eussiez	crû
ils	eussent	crû

INFINITIF

Présent	Passé
croître	avoir crû

PARTICIPE

Présent	Passé
croissant	crû, ue
	ayant crû

Ainsi se conjuguent **accroître, décroître, recroître.** S'ils prennent tous un accent circonflexe sur l'**i** suivi d'un **t**, **croître** est le seul qui ait l'accent circonflexe aux formes suivantes : *je croîs, tu croîs, je crûs, tu crûs, il crût, ils crûrent, que je crûsse..., crû,* pour le distinguer des formes correspondantes du verbe **croire.** Noter cependant le participe passé *recrû.*

INDICATIF

Présent

je	crois
tu	crois
il	croit
nous	croyons
vous	croyez
ils	croient

Passé composé

j'	ai	cru
tu	as	cru
il	a	cru
n.	avons	cru
v.	avez	cru
ils	ont	cru

Imparfait

je	croyais
tu	croyais
il	croyait
nous	croyions
vous	croyiez
ils	croyaient

Plus-que-parfait

j'	avais	cru
tu	avais	cru
il	avait	cru
n.	avions	cru
v.	aviez	cru
ils	avaient	cru

Passé simple

je	crus
tu	crus
il	crut
nous	crûmes
vous	crûtes
ils	crurent

Passé antérieur

j'	eus	cru
tu	eus	cru
il	eut	cru
n.	eûmes	cru
v.	eûtes	cru
ils	eurent	cru

Futur simple

je	croirai
tu	croiras
il	croira
nous	croirons
vous	croirez
ils	croiront

Futur antérieur

j'	aurai	cru
tu	auras	cru
il	aura	cru
n.	aurons	cru
v.	aurez	cru
ils	auront	cru

SUBJONCTIF

Présent

que je	croie
que tu	croies
qu'il	croie
que n.	croyions
que v.	croyiez
qu'ils	croient

Passé

que j'	aie	cru
que tu	aies	cru
qu'il	ait	cru
que n.	ayons	cru
que v.	ayez	cru
qu'ils	aient	cru

Imparfait

que je	crusse
que tu	crusses
qu'il	crût
que n.	crussions
que v.	crussiez
qu'ils	crussent

Plus-que-parfait

que j'	eusse	cru
que tu	eusses	cru
qu'il	eût	cru
que n.	eussions	cru
que v.	eussiez	cru
qu'ils	eussent	cru

IMPÉRATIF

Présent

crois
croyons
croyez

Passé

aie cru
ayons cru
ayez cru

CONDITIONNEL

Présent

je	croirais
tu	croirais
il	croirait
n.	croirions
v.	croiriez
ils	croiraient

Passé 1re forme

j'	aurais	cru
tu	aurais	cru
il	aurait	cru
n.	aurions	cru
v.	auriez	cru
ils	auraient	cru

Passé 2e forme

j'	eusse	cru
tu	eusses	cru
il	eût	cru
n.	eussions	cru
v.	eussiez	cru
ils	eussent	cru

INFINITIF

Présent

croire

Passé

avoir cru

PARTICIPE

Présent

croyant

Passé

cru, ue
ayant cru

69 VERBE **BOIRE**

INDICATIF

Présent		Passé composé		
je	bois	j'	ai	bu
tu	bois	tu	as	bu
il	boit	il	a	bu
nous	buvons	n.	avons	bu
vous	buvez	v.	avez	bu
ils	boivent	ils	ont	bu

Imparfait		Plus-que-parfait		
je	buvais	j'	avais	bu
tu	buvais	tu	avais	bu
il	buvait	il	avait	bu
nous	buvions	n.	avions	bu
vous	buviez	v.	aviez	bu
ils	buvaient	ils	avaient	bu

Passé simple		Passé antérieur		
je	bus	j'	eus	bu
tu	bus	tu	eus	bu
il	but	il	eut	bu
nous	bûmes	n.	eûmes	bu
vous	bûtes	v.	eûtes	bu
ils	burent	ils	eurent	bu

Futur simple		Futur antérieur		
je	boirai	j'	aurai	bu
tu	boiras	tu	auras	bu
il	boira	il	aura	bu
nous	boirons	n.	aurons	bu
vous	boirez	v.	aurez	bu
ils	boiront	ils	auront	bu

SUBJONCTIF

Présent		Passé		
que je	boive	que j'	aie	bu
que tu	boives	que tu	aies	bu
qu'il	boive	qu'il	ait	bu
que n.	buvions	que n.	ayons	bu
que v.	buviez	que v.	ayez	bu
qu'ils	boivent	qu'ils	aient	bu

Imparfait		Plus-que-parfait		
que je	busse	que j'	eusse	bu
que tu	busses	que tu	eusses	bu
qu'il	bût	qu'il	eût	bu
que n.	bussions	que n.	eussions	bu
que v.	bussiez	que v.	eussiez	bu
qu'ils	bussent	qu'ils	eussent	bu

IMPÉRATIF

Présent	Passé	
bois	aie	bu
buvons	ayons	bu
buvez	ayez	bu

CONDITIONNEL

Présent		Passé 1re forme		
je	boirais	j'	aurais	bu
tu	boirais	tu	aurais	bu
il	boirait	il	aurait	bu
n.	boirions	n.	aurions	bu
v.	boiriez	v.	auriez	bu
ils	boiraient	ils	auraient	bu

	Passé 2e forme		
j'	eusse	bu
tu	eusses	bu
il	eût	bu
n.	eussions	bu
v.	eussiez	bu
ils	eussent	bu

INFINITIF

Présent	Passé
boire	avoir bu

PARTICIPE

Présent	Passé
buvant	bu, ue
	ayant bu

INDICATIF

Présent

je	clos		
tu	clos		
il	clôt		
ils	closent		

Passé composé

j'	ai	clos
tu	as	clos
il	a	clos
n.	avons	clos
v.	avez	clos
ils	ont	clos

Imparfait

N'existe pas

Plus-que-parfait

j'	avais	clos
tu	avais	clos
il	avait	clos
n.	avions	clos
v.	aviez	clos
ils	avaient	clos

Passé simple

N'existe pas

Passé antérieur

j'	eus	clos
tu	eus	clos
il	eut	clos
n.	eûmes	clos
v.	eûtes	clos
ils	eurent	clos

Futur simple

je	clorai
tu	cloras
il	clora
nous	clorons
vous	clorez
ils	cloront

Futur antérieur

j'	aurai	clos
tu	auras	clos
il	aura	clos
n.	aurons	clos
v.	aurez	clos
ils	auront	clos

SUBJONCTIF

Présent

que je	close	
que tu	closes	
qu'il	close	
que n.	closions	
que v.	closiez	
qu'ils	closent	

Passé

que j'	aie	clos
que tu	aies	clos
qu'il	ait	clos
que n.	ayons	clos
que v.	ayez	clos
qu'ils	aient	clos

Imparfait

N'existe pas

Plus-que-parfait

que j'	eusse	clos
que tu	eusses	clos
qu'il	eût	clos
que n.	eussions	clos
que v.	eussiez	clos
qu'ils	eussent	clos

IMPÉRATIF

Présent

clos

Passé

aie	clos
ayons	clos
ayez	clos

CONDITIONNEL

Présent

je	clorais
tu	clorais
il	clorait
n.	clorions
v.	cloriez
ils	cloraient

Passé 1re forme

j'	aurais	clos
tu	aurais	clos
il	aurait	clos
n.	aurions	clos
v.	auriez	clos
ils	auraient	clos

Passé 2e forme

j'	eusse	clos
tu	eusses	clos
il	eût	clos
n.	eussions	clos
v.	eussiez	clos
ils	eussent	clos

INFINITIF

Présent

clore

Passé

avoir clos

PARTICIPE

Présent

closant

Passé

clos, se
ayant clos

Ainsi se conjuguent **déclore, forclore, enclore, éclore.** Ces derniers font à l'indicatif présent : *il enclot, il éclot* sans accent circonflexe, en regard de : *il clôt* dont l'accent circonflexe n'a guère de justification étymologique. On trouve les formes : *nous enclosons, vous enclosez* et même *j'enclosais... enclosant.* De même pour **éclore.**

71 VERBES EN -CLURE : CONCLURE

INDICATIF

Présent

je	con clus
tu	con clus
il	con clut
nous	con cluons
vous	con cluez
ils	con cluent

Passé composé

j'	ai	conclu
tu	as	conclu
il	a	conclu
n.	avons	conclu
v.	avez	conclu
ils	ont	conclu

Imparfait

je	con cluais
tu	con cluais
il	con cluait
nous	con cluions
vous	con cluiez
ils	con cluaient

Plus-que-parfait

j'	avais	conclu
tu	avais	conclu
il	avait	conclu
n.	avions	conclu
v.	aviez	conclu
ils	avaient	conclu

Passé simple

je	con clus
tu	con clus
il	con clut
nous	con clûmes
vous	con clûtes
ils	con clurent

Passé antérieur

j'	eus	conclu
tu	eus	conclu
il	eut	conclu
n.	eûmes	conclu
v.	eûtes	conclu
ils	eurent	conclu

Futur simple

je	con clurai
tu	con cluras
il	con clura
nous	con clurons
vous	con clurez
ils	con cluront

Futur antérieur

j'	aurai	conclu
tu	auras	conclu
il	aura	conclu
n.	aurons	conclu
v.	aurez	conclu
ils	auront	conclu

SUBJONCTIF

Présent

que je	con clue
que tu	con clues
qu'il	con clue
que n.	con cluions
que v.	con cluiez
qu'ils	con cluent

Passé

que j'	aie	conclu
que tu	aies	conclu
qu'il	ait	conclu
que n.	ayons	conclu
que v.	ayez	conclu
qu'ils	aient	conclu

Imparfait

que je	con clusse
que tu	con clusses
qu'il	con clût
que n.	con clussions
que v.	con clussiez
qu'ils	con clussent

Plus-que-parfait

que j'	eusse	conclu
que tu	eusses	conclu
qu'il	eût	conclu
que n.	eussions	conclu
que v.	eussiez	conclu
qu'ils	eussent	conclu

IMPÉRATIF

Présent

con clus
con cluons
con cluez

Passé

aie	conclu
ayons	conclu
ayez	conclu

CONDITIONNEL

Présent

je con	clurais
tu con	clurais
il con	clurait
n. con	clurions
v. con	cluriez
ils con	cluraient

Passé 1re forme

j'	aurais	conclu
tu	aurais	conclu
il	aurait	conclu
n.	aurions	conclu
v.	auriez	conclu
ils	auraient	conclu

Passé 2e forme

j'	eusse	conclu
tu	eusses	conclu
il	eût	conclu
n.	eussions	conclu
v.	eussiez	conclu
ils	eussent	conclu

INFINITIF

Présent

con clure

Passé

avoir conclu

PARTICIPE

Présent

con cluant

Passé

con clu, ue
ayant conclu

Ainsi se conjuguent **exclure, inclure, reclure.**
Noter les participes passés *inclus, incluse, reclus, recluse.*

INDICATIF

Présent		Passé composé	
j'	ab sous	j' ai	absous
tu	ab sous	tu as	absous
il	ab sout	il a	absous
nous	ab solvons	n. avons	absous
vous	ab solvez	v. avez	absous
ils	ab solvent	ils ont	absous

Imparfait		Plus-que-parfait	
j'	ab solvais	j' avais	absous
tu	ab solvais	tu avais	absous
il	ab solvait	il avait	absous
nous	ab solvions	n. avions	absous
vous	ab solviez	v. aviez	absous
ils	ab solvaient	ils avaient	absous

Passé simple		Passé antérieur	
		j' eus	absous
		tu eus	absous
N'existe pas		il eut	absous
		n. eûmes	absous
		v. eûtes	absous
		ils eurent	absous

Futur simple		Futur antérieur	
j'	ab soudrai	j' aurai	absous
tu	ab soudras	tu auras	absous
il	ab soudra	il aura	absous
nous	ab soudrons	n. aurons	absous
vous	ab soudrez	v. aurez	absous
ils	ab soudront	ils auront	absous

INFINITIF

Présent	Passé
ab soudre	avoir absous

SUBJONCTIF

Présent		Passé	
que j'	ab solve	que j' aie	absous
que tu	ab solves	que tu aies	absous
qu'il	ab solve	qu'il ait	absous
que n.	ab solvions	que n. ayons	absous
que v.	ab solviez	que v. ayez	absous
qu'ils	ab solvent	qu'ils aient	absous

Imparfait	Plus-que-parfait	
	que j' eusse	absous
	que tu eusses	absous
N'existe pas	qu'il eût	absous
	que n. eussions	absous
	que v. eussiez	absous
	qu'ils eussent	absous

IMPÉRATIF

Présent	Passé	
ab sous	aie	absous
ab solvons	ayons	absous
ab solvez	ayez	absous

CONDITIONNEL

Présent		Passé 1re forme	
j'	ab soudrais	j' aurais	absous
tu	ab soudrais	tu aurais	absous
il	ab soudrait	il aurait	absous
n.	ab soudrions	n. aurions	absous
v.	ab soudriez	v. auriez	absous
ils	ab soudraient	ils auraient	absous

Passé 2e forme	
j' eusse	absous
tu eusses	absous
il eût	absous
n. eussions	absous
v. eussiez	absous
ils eussent	absous

PARTICIPE

Présent	Passé
ab solvant	absous, oute
	ayant absous

Ainsi se conjuguent **dissoudre** et **résoudre** mais ce dernier a en outre un passé simple : *je résolus...*, un subjonctif imparfait : *que je résolusse...*, et un participe passé *résolu* (plus rarement *résous*, dans une acception particulière) cf. p. 152 note 4.

INDICATIF

Présent

je	couds
tu	couds
il	coud
nous	cousons
vous	cousez
ils	cousent

Passé composé

j'	ai	cousu
tu	as	cousu
il	a	cousu
n.	avons	cousu
v.	avez	cousu
ils	ont	cousu

Imparfait

je	cousais
tu	cousais
il	cousait
nous	cousions
vous	cousiez
ils	cousaient

Plus-que-parfait

j'	avais	cousu
tu	avais	cousu
il	avait	cousu
n.	avions	cousu
v.	aviez	cousu
ils	avaient	cousu

Passé simple

je	cousis
tu	cousis
il	cousit
nous	cousîmes
vous	cousîtes
ils	cousirent

Passé antérieur

j'	eus	cousu
tu	eus	cousu
il	eut	cousu
n.	eûmes	cousu
v.	eûtes	cousu
ils	eurent	cousu

Futur simple

je	coudrai
tu	coudras
il	coudra
nous	coudrons
vous	coudrez
ils	coudront

Futur antérieur

j'	aurai	cousu
tu	auras	cousu
il	aura	cousu
n.	aurons	cousu
v.	aurez	cousu
ils	auront	cousu

SUBJONCTIF

Présent

que je	couse
que tu	couses
qu'il	couse
que n.	cousions
que v.	cousiez
qu'ils	cousent

Passé

que j'	aie	cousu
que tu	aies	cousu
qu'il	ait	cousu
que n.	ayons	cousu
que v.	ayez	cousu
qu'ils	aient	cousu

Imparfait

que je	cousisse
que tu	cousisses
qu'il	cousît
que n.	cousissions
que v.	cousissiez
qu'ils	cousissent

Plus-que-parfait

que j'	eusse	cousu
que tu	eusses	cousu
qu'il	eût	cousu
que n.	eussions	cousu
que v.	eussiez	cousu
qu'ils	eussent	cousu

IMPÉRATIF

Présent

couds
cousons
cousez

Passé

aie	cousu
ayons	cousu
ayez	cousu

CONDITIONNEL

Présent

je	coudrais
tu	coudrais
il	coudrait
n.	coudrions
v.	coudriez
ils	coudraient

Passé 1re forme

j'	aurais	cousu
tu	aurais	cousu
il	aurait	cousu
n.	aurions	cousu
v.	auriez	cousu
ils	auraient	cousu

Passé 2e forme

j'	eusse	cousu
tu	eusses	cousu
il	eût	cousu
n.	eussions	cousu
v.	eussiez	cousu
ils	eussent	cousu

INFINITIF

Présent

coudre

Passé

avoir cousu

PARTICIPE

Présent

cousant

Passé

cousu, ue
ayant cousu

Ainsi se conjuguent **découdre, recoudre.**

INDICATIF

Présent		Passé composé	
je	mouds	j' ai	moulu
tu	mouds	tu as	moulu
il	moud	il a	moulu
nous	moulons	n. avons	moulu
vous	moulez	v. avez	moulu
ils	moulent	ils ont	moulu

Imparfait		Plus-que-parfait	
je	moulais	j' avais	moulu
tu	moulais	tu avais	moulu
il	moulait	il avait	moulu
nous	moulions	n. avions	moulu
vous	mouliez	v. aviez	moulu
ils	moulaient	ils avaient	moulu

Passé simple		Passé antérieur	
je	moulus	j' eus	moulu
tu	moulus	tu eus	moulu
il	moulut	il eut	moulu
nous	moulûmes	n. eûmes	moulu
vous	moulûtes	v. eûtes	moulu
ils	moulurent	ils eurent	moulu

Futur simple		Futur antérieur	
je	moudrai	j' aurai	moulu
tu	moudras	tu auras	moulu
il	moudra	il aura	moulu
nous	moudrons	n. aurons	moulu
vous	moudrez	v. aurez	moulu
ils	moudront	ils auront	moulu

SUBJONCTIF

Présent		Passé	
que je moule		que j' aie	moulu
que tu moules		que tu aies	moulu
qu'il moule		qu'il ait	moulu
que n. moulions		que n. ayons	moulu
que v. mouliez		que v. ayez	moulu
qu'ils moulent		qu'ils aient	moulu

Imparfait		Plus-que-parfait	
que je moulusse		que j' eusse	moulu
que tu moulusses		que tu eusses	moulu
qu'il moulût		qu'il eût	moulu
que n. moulussions		que n. eussions	moulu
que v. moulussiez		que v. eussiez	moulu
qu'ils moulussent		qu'ils eussent	moulu

IMPÉRATIF

Présent	Passé	
mouds	aie	moulu
moulons	ayons	moulu
moulez	ayez	moulu

CONDITIONNEL

Présent	Passé 1re forme	
je moudrais	j' aurais	moulu
tu moudrais	tu aurais	moulu
il moudrait	il aurait	moulu
n. moudrions	n. aurions	moulu
v. moudriez	v. auriez	moulu
ils moudraient	ils auraient	moulu

Passé 2e forme	
j' eusse	moulu
tu eusses	moulu
il eût	moulu
n. eussions	moulu
v. eussiez	moulu
ils eussent	moulu

INFINITIF

Présent	Passé
moudre	avoir moulu

PARTICIPE

Présent	Passé
moulant	moulu, ue
	ayant moulu

INDICATIF

Présent

je	suis
tu	suis
il	suit
nous	suivons
vous	suivez
ils	suivent

Passé composé

j'	ai	suivi
tu	as	suivi
il	a	suivi
n.	avons	suivi
v.	avez	suivi
ils	ont	suivi

Imparfait

je	suivais
tu	suivais
il	suivait
nous	suivions
vous	suiviez
ils	suivaient

Plus-que-parfait

j'	avais	suivi
tu	avais	suivi
il	avait	suivi
n.	avions	suivi
v.	aviez	suivi
ils	avaient	suivi

Passé simple

je	suivis
tu	suivis
il	suivit
nous	suivîmes
vous	suivîtes
ils	suivirent

Passé antérieur

j'	eus	suivi
tu	eus	suivi
il	eut	suivi
n.	eûmes	suivi
v.	eûtes	suivi
ils	eurent	suivi

Futur simple

je	suivrai
tu	suivras
il	suivra
nous	suivrons
vous	suivrez
ils	suivront

Futur antérieur

j'	aurai	suivi
tu	auras	suivi
il	aura	suivi
n.	aurons	suivi
v.	aurez	suivi
ils	auront	suivi

SUBJONCTIF

Présent

que je	suive
que tu	suives
qu'il	suive
que n.	suivions
que v.	suiviez
qu'ils	suivent

Passé

que j'	aie	suivi
que tu	aies	suivi
qu'il	ait	suivi
que n.	ayons	suivi
que v.	ayez	suivi
qu'ils	aient	suivi

Imparfait

que je	suivisse
que tu	suivisses
qu'il	suivît
que n.	suivissions
que v.	suivissiez
qu'ils	suivissent

Plus-que-parfait

que j'	eusse	suivi
que tu	eusses	suivi
qu'il	eût	suivi
que n.	eussions	suivi
que v.	eussiez	suivi
qu'ils	eussent	suivi

IMPÉRATIF

Présent

| suis |
| suivons |
| suivez |

Passé

aie	suivi
ayons	suivi
ayez	suivi

CONDITIONNEL

Présent

je	suivrais
tu	suivrais
il	suivrait
n.	suivrions
v.	suivriez
ils	suivraient

Passé 1re forme

j'	aurais	suivi
tu	aurais	suivi
il	aurait	suivi
n.	aurions	suivi
v.	auriez	suivi
ils	auraient	suivi

Passé 2e forme

j'	eusse	suivi
tu	eusses	suivi
il	eût	suivi
n.	eussions	suivi
v.	eussiez	suivi
ils	eussent	suivi

INFINITIF

Présent

suivre

Passé

avoir suivi

PARTICIPE

Présent

suivant

Passé

suivi, ie
ayant suivi

Ainsi se conjuguent **s'ensuivre** (auxiliaire **être**) et **poursuivre**.

INDICATIF

Présent

je	vis	
tu	vis	
il	vit	
nous	vivons	
vous	vivez	
ils	vivent	

Passé composé

j'	ai	vécu
tu	as	vécu
il	a	vécu
n.	avons	vécu
v.	avez	vécu
ils	ont	vécu

Imparfait

je	vivais
tu	vivais
il	vivait
nous	vivions
vous	viviez
ils	vivaient

Plus-que-parfait

j'	avais	vécu
tu	avais	vécu
il	avait	vécu
n.	avions	vécu
v.	aviez	vécu
ils	avaient	vécu

Passé simple

je	vécus
tu	vécus
il	vécut
nous	vécûmes
vous	vécûtes
ils	vécurent

Passé antérieur

j'	eus	vécu
tu	eus	vécu
il	eut	vécu
n.	eûmes	vécu
v.	eûtes	vécu
ils	eurent	vécu

Futur simple

je	vivrai
tu	vivras
il	vivra
nous	vivrons
vous	vivrez
ils	vivront

Futur antérieur

j'	aurai	vécu
tu	auras	vécu
il	aura	vécu
n.	aurons	vécu
v.	aurez	vécu
ils	auront	vécu

SUBJONCTIF

Présent

que je	vive	
que tu	vives	
qu'il	vive	
que n.	vivions	
que v.	viviez	
qu'ils	vivent	

Passé

que j'	aie	vécu
que tu	aies	vécu
qu'il	ait	vécu
que n.	ayons	vécu
que v.	ayez	vécu
qu'ils	aient	vécu

Imparfait

que je	vécusse
que tu	vécusses
qu'il	vécût
que n.	vécussions
que v.	vécussiez
qu'ils	vécussent

Plus-que-parfait

que j'	eusse	vécu
que tu	eusses	vécu
qu'il	eût	vécu
que n.	eussions	vécu
que v.	eussiez	vécu
qu'ils	eussent	vécu

IMPÉRATIF

Présent

vis
vivons
vivez

Passé

aie	vécu
ayons	vécu
ayez	vécu

CONDITIONNEL

Présent

je	vivrais
tu	vivrais
il	vivrait
n.	vivrions
v.	vivriez
ils	vivraient

Passé 1re forme

j'	aurais	vécu
tu	aurais	vécu
il	aurait	vécu
n.	aurions	vécu
v.	auriez	vécu
ils	auraient	vécu

Passé 2e forme

j'	eusse	vécu
tu	eusses	vécu
il	eût	vécu
n.	eussions	vécu
v.	eussiez	vécu
ils	eussent	vécu

INFINITIF

Présent	Passé
vivre	avoir vécu

PARTICIPE

Présent	Passé
vivant	vécu
	ayant vécu

Ainsi se conjuguent **revivre** et **survivre**.

INDICATIF

Présent		Passé composé	
je	lis	j' ai	lu
tu	lis	tu as	lu
il	lit	il a	lu
nous	lisons	n. avons	lu
vous	lisez	v. avez	lu
ils	lisent	ils ont	lu

Imparfait		Plus-que-parfait	
je	lisais	j' avais	lu
tu	lisais	tu avais	lu
il	lisait	il avait	lu
nous	lisions	n. avions	lu
vous	lisiez	v. aviez	lu
ils	lisaient	ils avaient	lu

Passé simple		Passé antérieur	
je	lus	j' eus	lu
tu	lus	tu eus	lu
il	lut	il eut	lu
nous	lûmes	n. eûmes	lu
vous	lûtes	v. eûtes	lu
ils	lurent	ils eurent	lu

Futur simple		Futur antérieur	
je	lirai	j' aurai	lu
tu	liras	tu auras	lu
il	lira	il aura	lu
nous	lirons	n. aurons	lu
vous	lirez	v. aurez	lu
ils	liront	ils auront	lu

SUBJONCTIF

Présent	Passé	
que je lise	que j' aie	lu
que tu lises	que tu aies	lu
qu'il lise	qu'il ait	lu
que n. lisions	que n. ayons	lu
que v. lisiez	que v. ayez	lu
qu'ils lisent	qu'ils aient	lu

Imparfait	Plus-que-parfait	
que je lusse	que j' eusse	lu
que tu lusses	que tu eusses	lu
qu'il lût	qu'il eût	lu
que n. lussions	que n. eussions	lu
que v. lussiez	que v. eussiez	lu
qu'ils lussent	qu'ils eussent	lu

IMPÉRATIF

Présent	Passé	
lis	aie	lu
lisons	ayons	lu
lisez	ayez	lu

CONDITIONNEL

Présent	Passé 1re forme	
je	lirais	j' aurais	lu
tu	lirais	tu aurais	lu
il	lirait	il aurait	lu
n.	lirions	n. aurions	lu
v.	liriez	v. auriez	lu
ils	liraient	ils auraient	lu

Passé 2e forme		
j'	eusse	lu
tu	eusses	lu
il	eût	lu
n.	eussions	lu
v.	eussiez	lu
ils	eussent	lu

INFINITIF

Présent	Passé
lire	avoir lu

PARTICIPE

Présent	Passé
lisant	lu, lue
	ayant lu

Ainsi se conjuguent **élire, réélire, relire.**

INDICATIF

Présent

je	dis
tu	dis
il	dit
nous	disons
vous	*dites*
ils	disent

Passé composé

j'	ai	dit
tu	as	dit
il	a	dit
n.	avons	dit
v.	avez	dit
ils	ont	dit

Imparfait

je	disais
tu	disais
il	disait
nous	disions
vous	disiez
ils	disaient

Plus-que-parfait

j'	avais	dit
tu	avais	dit
il	avait	dit
n.	avions	dit
v.	aviez	dit
ils	avaient	dit

Passé simple

je	dis
tu	dis
il	dit
nous	dîmes
vous	dîtes
ils	dirent

Passé antérieur

j'	eus	dit
tu	eus	dit
il	eut	dit
n.	eûmes	dit
v.	eûtes	dit
ils	eurent	dit

Futur simple

je	dirai
tu	diras
il	dira
nous	dirons
vous	direz
ils	diront

Futur antérieur

j'	aurai	dit
tu	auras	dit
il	aura	dit
n.	aurons	dit
v.	aurez	dit
ils	auront	dit

SUBJONCTIF

Présent

que je	dise
que tu	dises
qu'il	dise
que n.	disions
que v.	disiez
qu'ils	disent

Passé

que j'	aie	dit
que tu	aies	dit
qu'il	ait	dit
que n.	ayons	dit
que v.	ayez	dit
qu'ils	aient	dit

Imparfait

que je	disse
que tu	disses
qu'il	dît
que n.	dissions
que v.	dissiez
qu'ils	dissent

Plus-que-parfait

que j'	eusse	dit
que tu	eusses	dit
qu'il	eût	dit
que n.	eussions	dit
que v.	eussiez	dit
qu'ils	eussent	dit

IMPÉRATIF

Présent

dis
disons
dites

Passé

aie dit
ayons dit
ayez dit

CONDITIONNEL

Présent

je	dirais
tu	dirais
il	dirait
n.	dirions
v.	diriez
ils	diraient

Passé 1re forme

j'	aurais	dit
tu	aurais	dit
il	aurait	dit
n.	aurions	dit
v.	auriez	dit
ils	auraient	dit

Passé 2e forme

j'	eusse	dit
tu	eusses	dit
il	eût	dit
n.	eussions	dit
v.	eussiez	dit
ils	eussent	dit

INFINITIF

Présent

dire

Passé

avoir dit

PARTICIPE

Présent

disant

Passé

dit, ite
ayant dit

Ainsi se conjugue **redire.** Tous les autres composés de *dire* (page 103) ont au présent de l'indicatif et de l'impératif les formes : *(vous) contredisez, dédisez, interdisez, médisez, prédisez.* Quant à **maudire** il se conjugue sur **finir** : *nous maudissons, vous maudissez, ils maudissent, je maudissais,* etc., *maudissant,* sauf au participe passé : *maudit, ite.*

INDICATIF

Présent

je	ris
tu	ris
il	rit
nous	rions
vous	riez
ils	rient

Passé composé

j'	ai	ri
tu	as	ri
il	a	ri
n.	avons	ri
v.	avez	ri
ils	ont	ri

Imparfait

je	riais
tu	riais
il	riait
nous	riions
vous	riiez
ils	riaient

Plus-que-parfait

j'	avais	ri
tu	avais	ri
il	avait	ri
n.	avions	ri
v.	aviez	ri
ils	avaient	ri

Passé simple

je	ris
tu	ris
il	rit
nous	rîmes
vous	rîtes
ils	rirent

Passé antérieur

j'	eus	ri
tu	eus	ri
il	eut	ri
n.	eûmes	ri
v.	eûtes	ri
ils	eurent	ri

Futur simple

je	rirai
tu	riras
il	rira
nous	rirons
vous	rirez
ils	riront

Futur antérieur

j'	aurai	ri
tu	auras	ri
il	aura	ri
n.	aurons	ri
v.	aurez	ri
ils	auront	ri

SUBJONCTIF

Présent

que je	rie
que tu	ries
qu'il	rie
que n.	riions
que v.	riiez
qu'ils	rient

Passé

que j'	aie	ri
que tu	aies	ri
qu'il	ait	ri
que n.	ayons	ri
que v.	ayez	ri
qu'ils	aient	ri

Imparfait (rare)

que je	risse
que tu	risses
qu'il	rît
que n.	rissions
que v.	rissiez
qu'ils	rissent

Plus-que-parfait

que j'	eusse	ri
que tu	eusses	ri
qu'il	eût	ri
que n.	eussions	ri
que v.	eussiez	ri
qu'ils	eussent	ri

IMPÉRATIF

Présent

| ris |
| rions |
| riez |

Passé

aie	ri
ayons	ri
ayez	ri

CONDITIONNEL

Présent

je	rirais
tu	rirais
il	rirait
n.	ririons
v.	ririez
ils	riraient

Passé 1re forme

j'	aurais	ri
tu	aurais	ri
il	aurait	ri
n.	aurions	ri
v.	auriez	ri
ils	auraient	ri

Passé 2e forme

j'	eusse	ri
tu	eusses	ri
il	eût	ri
n.	eussions	ri
v.	eussiez	ri
ils	eussent	ri

INFINITIF

Présent	Passé
rire	avoir ri

PARTICIPE

Présent	Passé
riant	ri
	ayant ri

Remarquer les deux **i** de suite aux deux premières personnes du pluriel de l'imparfait de l'indicatif et du présent du subjonctif. Ainsi se conjugue **sourire**.

INDICATIF

Présent		Passé composé	
j'	é cris	j' ai	écrit
tu	é cris	tu as	écrit
il	é crit	il a	écrit
nous	é crivons	n. avons	écrit
vous	é crivez	v. avez	écrit
ils	é crivent	ils ont	écrit

Imparfait		Plus-que-parfait	
j'	é crivais	j' avais	écrit
tu	é crivais	tu avais	écrit
il	é crivait	il avait	écrit
nous	é crivions	n. avions	écrit
vous	é criviez	v. aviez	écrit
ils	é crivaient	ils avaient	écrit

Passé simple		Passé antérieur	
j'	é crivis	j' eus	écrit
tu	é crivis	tu eus	écrit
il	é crivit	il eut	écrit
nous	é crivîmes	n. eûmes	écrit
vous	é crivîtes	v. eûtes	écrit
ils	é crivirent	ils eurent	écrit

Futur simple		Futur antérieur	
j'	é crirai	j' aurai	écrit
tu	é criras	tu auras	écrit
il	é crira	il aura	écrit
nous	é crirons	n. aurons	écrit
vous	é crirez	v. aurez	écrit
ils	é criront	ils auront	écrit

SUBJONCTIF

Présent		Passé	
que j'	é crive	que j' aie	écrit
que tu	é crives	que tu aies	écrit
qu'il	é crive	qu'il ait	écrit
que n.	é crivions	que n. ayons	écrit
que v.	é criviez	que v. ayez	écrit
qu'ils	é crivent	qu'ils aient	écrit

Imparfait		Plus-que-parfait	
que j'	é crivisse	que j' eusse	écrit
que tu	é crivisses	que tu eusses	écrit
qu'il	é crivît	qu'il eût	écrit
que n.	é crivissions	que n. eussions écrit	
que v.	é crivissiez	que v. eussiez	écrit
qu'ils	é crivissent	qu'ils eussent	écrit

IMPÉRATIF

Présent	Passé	
é cris	aie	écrit
é crivons	ayons	écrit
é crivez	ayez	écrit

CONDITIONNEL

Présent		Passé 1re forme	
j'	é crirais	j' aurais	écrit
tu	é crirais	tu aurais	écrit
il	é crirait	il aurait	écrit
n.	é cririons	n. aurions	écrit
v.	é cririez	v. auriez	écrit
ils	é criraient	ils auraient	écrit

Passé 2e forme		
j'	eusse	écrit
tu	eusses	écrit
il	eût	écrit
n.	eussions	écrit
v.	eussiez	écrit
ils	eussent	écrit

INFINITIF

Présent	Passé
é crire	avoir écrit

PARTICIPE

Présent	Passé
é crivant	écrit, ite
	ayant écrit

Ainsi se conjuguent **récrire, décrire** et tous les composés en **-scrire** (page 103).

INDICATIF

Présent

je	confis	j'	ai	confit
tu	confis	tu as		confit
il	confit	il a		confit
nous	confisons	n. avons		confit
vous	confisez	v. avez		confit
ils	confisent	ils ont		confit

Passé composé

Imparfait

je	confisais	j' avais		confit
tu	confisais	tu avais		confit
il	confisait	il avait		confit
nous	confisions	n. avions		confit
vous	confisiez	v. aviez		confit
ils	confisaient	ils avaient		confit

Plus-que-parfait

Passé simple

je	confis	j' eus		confit
tu	confis	tu eus		confit
il	confit	il eut		confit
nous	confîmes	n. eûmes		confit
vous	confîtes	v. eûtes		confit
ils	confirent	ils eurent		confit

Passé antérieur

Futur simple

je	confirai	j' aurai		confit
tu	confiras	tu auras		confit
il	confira	il aura		confit
nous	confirons	n. aurons		confit
vous	confirez	v. aurez		confit
ils	confiront	ils auront		confit

Futur antérieur

SUBJONCTIF

Présent

que je confise	que j' aie		confit
que tu confises	que tu aies		confit
qu'il confise	qu'il ait		confit
que n. confisions	que n. ayons		confit
que v. confisiez	que v. ayez		confit
qu'ils confisent	qu'ils aient		confit

Passé

Imparfait

que je confisse	que j' eusse		confit
que tu confisses	que tu eusses		confit
qu'il confît	qu'il eût		confit
que n. confissions	que n. eussions	confit
que v. confissiez	que v. eussiez		confit
qu'ils confissent	qu'ils eussent	confit

Plus-que-parfait

IMPÉRATIF

Présent

confis	aie confit
confisons	ayons confit
confisez	ayez confit

Passé

CONDITIONNEL

Présent

je	confirais	j'	aurais	confit
tu	confirais	tu	aurais	confit
il	confirait	il	aurait	confit
n.	confirions	n.	aurions	confit
v.	confiriez	v.	auriez	confit
ils	confiraient	ils	auraient	confit

Passé 1re forme

Passé 2e forme

j'	eusse	confit
tu	eusses	confit
il	eût	confit
n.	eussions	confit
v.	eussiez	confit
ils	eussent	confit

INFINITIF

Présent

confire

Passé

avoir confit

PARTICIPE

Présent

confisant

Passé

confit, ite
ayant confit

Ainsi se conjuguent **déconfire, suffire, circoncire, frire.** Noter les participes passés *suffi* (invariable), *circoncis, ise.* Quant à **frire** verbe défectif, voir la note à ce verbe (page 134).

INDICATIF

Présent

je	cuis
tu	cuis
il	cuit
nous	cuisons
vous	cuisez
ils	cuisent

Passé composé

j'	ai	cuit
tu	as	cuit
il	a	cuit
n.	avons	cuit
v.	avez	cuit
ils	ont	cuit

Imparfait

je	cuisais
tu	cuisais
il	cuisait
nous	cuisions
vous	cuisiez
ils	cuisaient

Plus-que-parfait

j'	avais	cuit
tu	avais	cuit
il	avait	cuit
n.	avions	cuit
v.	aviez	cuit
ils	avaient	cuit

Passé simple

je	cuisis
tu	cuisis
il	cuisit
nous	cuisîmes
vous	cuisîtes
ils	cuisirent

Passé antérieur

j'	eus	cuit
tu	eus	cuit
il	eut	cuit
n.	eûmes	cuit
v.	eûtes	cuit
ils	eurent	cuit

Futur simple

je	cuirai
tu	cuiras
il	cuira
nous	cuirons
vous	cuirez
ils	cuiront

Futur antérieur

j'	aurai	cuit
tu	auras	cuit
il	aura	cuit
n.	aurons	cuit
v.	aurez	cuit
ils	auront	cuit

SUBJONCTIF

Présent

| que je cuise |
| que tu cuises |
| qu'il cuise |
| que n. cuisions |
| que v. cuisiez |
| qu'ils cuisent |

Passé

que j'	aie	cuit
que tu	aies	cuit
qu'il	ait	cuit
que n.	ayons	cuit
que v.	ayez	cuit
qu'ils	aient	cuit

Imparfait

| que je cuisisse |
| que tu cuisisses |
| qu'il cuisît |
| que n. cuisissions |
| que v. cuisissiez |
| qu'ils cuisissent |

Plus-que-parfait

que j'	eusse	cuit
que tu	eusses	cuit
qu'il	eût	cuit
que n.	eussions	cuit
que v.	eussiez	cuit
qu'ils	eussent	cuit

IMPÉRATIF

Présent

| cuis |
| cuisons |
| cuisez |

Passé

aie	cuit
ayons	cuit
ayez	cuit

CONDITIONNEL

Présent

je	cuirais
tu	cuirais
il	cuirait
n.	cuirions
v.	cuiriez
ils	cuiraient

Passé 1re forme

j'	aurais	cuit
tu	aurais	cuit
il	aurait	cuit
n.	aurions	cuit
v.	auriez	cuit
ils	auraient	cuit

Passé 2e forme

j'	eusse	cuit
tu	eusses	cuit
il	eût	cuit
n.	eussions	cuit
v.	eussiez	cuit
ils	eussent	cuit

INFINITIF

Présent

cuire

Passé

avoir cuit

PARTICIPE

Présent

cuisant

Passé

cuit, uite
ayant cuit

Ainsi se conjuguent **conduire, construire, luire, nuire** et leurs composés (page 103). Noter les participes passés invariables *lui, nui.*

LISTE ALPHABÉTIQUE DE TOUS LES VERBES DU 3ᵉ GROUPE

23 tenir
abstenir (s')
appartenir
contenir
détenir
entretenir
maintenir
obtenir
retenir
soutenir
venir
advenir
circonvenir
contrevenir
convenir
devenir
disconvenir
intervenir
obvenir
parvenir
prévenir
provenir
redevenir
ressouvenir (se)
revenir
souvenir (se)
subvenir
survenir
24 acquérir
conquérir
enquérir (s')
quérir
reconquérir
requérir
25 sentir
consentir
pressentir
ressentir
mentir
démentir
partir
départir
repartir
repentir (se)
sortir
ressortir

26 vêtir
dévêtir
revêtir
27 couvrir
découvrir
recouvrir
ouvrir
entrouvrir
rentrouvrir
rouvrir
offrir
souffrir
28 cueillir
accueillir
recueillir
29 assaillir
saillir
tressaillir
30 faillir
défaillir
31 bouillir
débouillir
rebouillir
32 dormir
endormir
redormir
rendormir
33 courir
accourir
concourir
discourir
encourir
parcourir
recourir
secourir
34 mourir
35 servir
desservir
resservir
(asservir 19)
36 fuir
enfuir (s')
refuir
37 ouïr
gésir

38 recevoir
apercevoir
concevoir
décevoir
percevoir
39 voir
entrevoir
prévoir
revoir
40 pourvoir
dépourvoir
41 savoir
resavoir
42 devoir
redevoir
43 pouvoir
44 mouvoir
émouvoir
promouvoir
45 pleuvoir
repleuvoir
46 falloir
47 valoir
équivaloir
prévaloir
revaloir
48 vouloir
49 asseoir
rasseoir
50 seoir
messeoir
51 surseoir
52 choir
déchoir
échoir
53 rendre
1 *défendre*
descendre
condescendre
redescendre
fendre
pourfendre
refendre
pendre
appendre
dépendre
rependre
suspendre

tendre
attendre
détendre
distendre
entendre
étendre
prétendre
retendre
sous-entendre
sous-tendre
vendre
mévendre
revendre
2 *épandre*
répandre
3 *fondre*
confondre
morfondre (se)
parfondre
refondre
pondre
répondre
correspondre
tondre
retondre
4 *perdre*
reperdre
5 *mordre*
démordre
remordre
tordre
détordre
distordre
retordre
6 *rompre*
corrompre
interrompre
54 prendre
apprendre
comprendre
déprendre
désapprendre
entreprendre
éprendre (s')
méprendre (se)
réapprendre
reprendre
surprendre

classés dans l'ordre des tableaux de conjugaison où se trouve entièrement conjugué soit le verbe lui-même, soit le verbe type (en gras) qui lui sert de modèle, à l'auxiliaire près.

55 battre
abattre
combattre
contre-battre
débattre
ébattre (s')
embatre
rabattre
rebattre

56 mettre
admettre
commettre
compromettre
démettre
émettre
entremettre (s')
omettre
permettre
promettre
réadmettre
remettre
retransmettre
soumettre
transmettre

57 peindre
dépeindre
repeindre
astreindre
étreindre
restreindre
atteindre
aveindre
ceindre
enceindre
empreindre
épreindre
enfreindre
feindre
geindre
teindre
déteindre
éteindre
reteindre

58 joindre
adjoindre
conjoindre
disjoindre
enjoindre
rejoindre
oindre
poindre

59 craindre
contraindre
plaindre

60 vaincre
convaincre

61 traire
abstraire
distraire
extraire
retraire
soustraire
braire

62 faire
contrefaire
défaire
forfaire
malfaire
méfaire
parfaire
redéfaire
refaire
satisfaire
surfaire

63 plaire
complaire
déplaire
taire

64 connaître
méconnaître
reconnaître
paraître
apparaître
comparaître
disparaître
réapparaître
recomparaître
reparaître
transparaître

65 naître
renaître

66 paître
repaître

67 croître
accroître
décroître
recroître

68 croire
accroire

69 boire
emboire

70 clore
déclore
éclore
enclore
forclore

71 conclure
exclure
inclure
occlure
reclure

72 absoudre
dissoudre
résoudre

73 coudre
découdre
recoudre

74 moudre
émoudre
remoudre

75 suivre
ensuivre (s')
poursuivre

76 vivre
revivre
survivre

77 lire
élire
réélire
relire

78 dire
contredire
dédire
interdire
(maudire 19)
médire
prédire
redire

79 rire
sourire

80 écrire
circonscrire
décrire
inscrire
prescrire
proscrire
récrire
réinscrire
retranscrire
souscrire
transcrire

81 confire
déconfire
circoncire
frire
suffire

82 cuire
recuire
conduire
déduire
éconduire
enduire
induire
introduire
produire
reconduire
réduire
réintroduire
renduire
reproduire
retraduire
séduire
traduire
construire
détruire
instruire
reconstruire
luire
entre-luire
reluire
nuire
entre-nuire (s')

ABRÉVIATIONS ET SIGNES
DE LA LISTE ALPHABÉTIQUE

Le **numéro** placé à la suite de chacun des verbes de la liste alphabétique renvoie au tableau de conjugaison où se trouve le verbe modèle qui sert à le conjuguer. Chaque verbe type apparaît en gras dans cette liste.

Ex. : Cliqueter, i... 11 : à conjuguer sur **jeter,** tableau n° 11.

Les appels de notes renvoient aux remarques de bas de pages qui signalent les singularités de l'usage, notamment les points sur lesquels le verbe s'écarte de la conjugaison type.

rég. ou rg.	régulier, c'est-à-dire uniquement :
	verbe en **-er** se conjuguant sur **aimer** (tableau 6);
	verbe en **-ir** se conjuguant sur **finir** (tableau 19).
t.	transitif direct.
ti.	transitif indirect.
i.	intransitif.
pr.	pronominal.
déf.	défectif.

★ Les verbes *précédés d'un astérisque* ont vieilli ou ils appartiennent à la langue populaire et sont à éviter.

◆ Les verbes intransitifs affectés de ce signe peuvent se conjuguer avec l'auxiliaire *avoir* ou *être* (voir ci-dessous nota 3).

Nota. Pour l'emploi de l'auxiliaire avoir ou être on observera la règle suivante :

1. Se conjuguent avec l'auxiliaire **avoir** :
- tous les verbes transitifs (directs ou indirects) à la forme active,
- les verbes intransitifs qui ne sont suivis d'aucune mention particulière; c'est le plus grand nombre.

2. Se conjuguent avec l'auxiliaire **être** :
- tous les verbes pronominaux;
- tous les verbes transitifs à la forme passive;
- les verbes intransitifs suivis de la mention (auxiliaire être).

Ex. : Venir, i. (auxiliaire être); on doit dire *je suis venu* et non *j'ai venu.*

3. Se conjuguent tantôt avec l'auxiliaire **être** et tantôt avec l'auxiliaire **avoir** les verbes intransitifs qui sont suivis du signe ◆. Ex. : divorcer, i. ◆; on dira suivant le cas, *il a divorcé* ou *il est divorcé.* D'ordinaire l'auxiliaire **avoir** exprime l'action, l'auxiliaire **être** indique le résultat de cette action.

3
Liste alphabétique
des verbes usuels

(avec renvois aux tableaux des verbes types)

a

1 Absoudre. Le participe passé *absous, absoute* a éliminé un ancien participe passé *absolu* qui s'est conservé comme adjectif au sens de : *complet, sans restriction.* Bien qu'admis par Littré, le passé simple *j'absolus* ne s'emploie pas.

2 Accourir se construit indifféremment avec **être** ou **avoir** sans que l'on distingue l'action elle-même de son résultat : *j'ai accouru* ou *je suis accouru.*

3 Accroire ne s'emploie plus guère qu'à l'infinitif dans l'expression *en faire accroire* au sens d'*essayer de tromper.*

4 Accroître se conjugue comme croître mais, comme il n'a pas à redouter les confusions avec croire, il ne prend pas l'accent circonflexe aux formes suivantes : *j'accrois, tu accrois, j'accrus, tu accrus, il accrut, ils accrurent, que j'accrusse..., accru.*

5 Acquérir. Ne pas confondre le participe substantivé **acquis** *(avoir de l'acquis)* avec le substantif verbal **acquit** de acquitter *(par acquit, pour acquit).*

	n°		n°		n°
acquiescer, ti	7	affermer, t. rég.	6	agréer, t.	13
acquitter, t. rég.	6	affermir, t. rég.	19	agréger, t.	14
actionner, t. rég.	6	afficher, t. rég.	6	agrémenter, t. rég.	6
activer, t. rég.	6	affiler, t. rég.	6	★ agresser, t. rég.	6
actualiser, t. rég.	6	affilier, t.	15	agriffer, t. rég.	6
adapter, t. rég.	6	affiner, t. rég.	6	agripper, t. rég.	6
additionner, t. rég.	6	affirmer, t. rég.	6	aguerrir, t. rég.	19
adhérer, ti	10	affleurer, t. rég.	6	aguicher, t. rég.	6
adjoindre, t.	58	affliger, t.	8	ahaner, i. rég.	6
adjuger, t.	8	afflouer, t. rég.	6	aheurter (s'), pr. rég.	6
adjurer, t. rég.	6	affluer, i. rég.	6	ahurir, t. rég.	19
admettre, t.	56	affoler, t. rég.	6	aider, t. et ti. rég.	6
administrer, t. rég.	6	affouiller, t. rég.	6	aigrir, t. rég.	19
admirer, t. rég.	6	affourager, t.	8	aiguayer, t.	16
admonester, t. rég.	6	affourcher, t. rég.	6	aiguiller, t. rég.	6
adoniser, t. rég.	6	affranchir, t. rég.	19	aiguilleter, t.	11
adonner (s'), pr. rég.	6	affréter, t.	10	aiguillonner, t. rég.	6
adopter, t. rég.	6	affriander, t. rég.	6	aiguiser, t. rég.	6
adorer, t. rég.	6	affrioler, t. rég.	6	aimanter, t. rég.	6
adosser, t. rég.	6	affronter, t. rég.	6	**aimer,** t. rég.	6
adouber, t. rég.	6	affruiter, t. et i. rég.	6	airer, i. rég.	6
adoucir, t. rég.	19	affubler, t. rég.	6	ajointer, t. rég.	6
adresser, t. rég.	6	affûter, t. rég.	6	ajourer, t. rég.	6
aduler, t. rég.	6	africaniser, t. rég.	6	ajourner, t. rég.	6
adultérer, t.	10	agacer, t.	7	ajouter, t. rég.	6
advenir, i. (aux. être) **1**	23	agencer, t.	7	ajuster, t. rég.	6
aérer, t.	10	agenouiller (s'), pr. rég.	6	alambiquer, t. rég.	6
affabuler, t. rég.	6	agglomérer, t.	10	alanguir, t. rég.	19
affadir, t. rég.	19	agglutiner, t. rég.	6	alarguer, i. rég.	6
affaiblir, t. rég.	19	aggraver, t. rég.	6	alarmer, t. rég.	6
affairer (s'), pr. rég.	6	agioter, i. rég.	6	alcaliniser, t. rég.	6
affaisser (s'), pr. rég.	6	agir, i. imp. rég.	19	alcaliser, t. rég.	6
affaiter, t. rég.	6	agiter, t. rég.	6	alcooliser, t. rég.	6
affaler, t. rég.	6	agneler, i.	11	★ alentir, t. rég.	19
affamer, t. rég.	6	agonir, t. rég.	19	alerter, t. rég.	6
afféager, t.	8	agoniser, i. rég.	6	aléser, t.	10
affecter, t. rég.	6	agrafer, t. rég.	6	alester, t. rég.	6
affectionner, t. rég.	6	agrandir, t. rég.	19	aleviner, t. rég.	6

1 Advenir n'est employé qu'à la 3e personne du singulier et du pluriel; les temps composés se forment avec l'auxiliaire être : *il est advenu.*

	n°
aliéner, t.	10
aligner, t. rég.	6
alimenter, t. rég.	6
aliter, t. rég.	6
allaiter, t. rég.	6
allécher, t.	10
alléger, t.	14
allégir, t. rég.	19
allégoriser, t. rég.	6
alléguer, t.	10
aller, i. (aux. être)	22
aller (s'en), pr.	22
allier, t.	15
allonger, t.	8
allouer, t. rég.	6
allumer, t. rég.	6
alluvionner, t. rég.	6
alourdir, t. rég.	19
altérer, t.	10
alterner, t. rég.	6
aluner, t. rég.	6
alunir, i. rég.	19
amadouer, t. rég.	6
amaigrir, t. et i., rég.	19
amalgamer, t. rég.	6
amariner, t. rég.	6
amarrer, t. rég.	6
amasser, t. rég.	6
amatir, t. rég.	19
ambitionner, t. rég.	6
ambler, i. rég.	6
ambrer, t. rég.	6
améliorer, t. rég.	6
aménager, t.	8
amender, t. rég.	6

	n°
amener, t.	9
amenuiser, t. rég.	6
américaniser, t. rég.	6
amerrir, i. rég.	19
ameublir, t. rég.	19
ameuter, t. rég.	6
amidonner, t. rég.	6
amincir, t. rég.	19
amnistier, t.	15
★ amocher, t. rég.	6
amodier, t.	15
amoindrir, t. rég.	19
amollir, t. rég.	19
amonceler, t.	11
amorcer, t.	7
amordancer, t.	7
amortir, t. rég.	19
amouracher, t. rég.	6
amplifier, t.	15
amputer, t. rég.	6
amuir (s'), pr. rég.	19
amurer, t. rég.	6
amuser, t. rég.	6
analyser, t. rég.	6
anastomoser (s'), pr. rég.	6
anathématiser, t. rég.	6
anatomiser, t. rég.	6
ancrer, t. rég.	6
anéantir, t. rég.	19
anémier, t.	15
anesthésier, t.	15
angliciser, t. rég.	6
angoisser, t. rég.	6
anhéler, i.	10

	n°
animaliser, t. rég.	6
animer, t. rég.	6
aniser, t. rég.	6
ankyloser, t. rég.	6
anneler, t.	11
annexer, t. rég.	6
annihiler, t. rég.	6
annoncer, t.	7
annoter, t. rég.	6
annuler, t. rég.	6
anoblir, t. rég.	19
ânonner, t. rég.	6
anordir, i. imp. rég.	19
anticiper, t. rég.	6
antidater, t. rég.	6
anuiter (s'), pr. rég.	6
apaiser, t. rég.	6
apanager, t.	8
apercevoir, t.	38
apetisser, t. et i. rég.	6
apeurer, t. rég.	6
apitoyer, t.	17
aplanir, t. rég.	19
aplatir, t. rég.	19
aponter, t. rég.	6
apostasier, i.	15
aposter, t. rég.	6
apostiller, t. rég.	6
apostropher, t. rég.	6
apparaître, i. **1** ◆	64
appareiller, t. rég.	6
appareiller, i. (mar.) rég.	6
apparenter, t. rég.	6
apparier, t.	15

1 Apparaître, selon les grammairiens et l'Académie, se construit, comme *disparaître,* indifféremment avec l'auxiliaire **être** ou **avoir :** *Les spectres lui* **ont** *apparu* ou *lui* **sont** *apparus* (Ac.). Il semble cependant préférable d'employer **avoir** si l'on considère l'action : *Les patriarches lui dressèrent des autels en certains endroits où il leur* **avait** *apparu* (Massillon); **être** si l'on considère le résultat : *Elle m'*est *apparue avec trop d'avantage* (Racine). Mais l'usage tend à généraliser l'auxiliaire **être**, même quand on considère uniquement l'action : *Cet homme m'*est *apparu au moment où je le croyais bien loin* (Ac.).

	n°		n°		n°
apparoir, i. déf. **1**		argoter, t. rég.	6	★ assavoir, inf. seul.	
appartenir, i.	23	arguer, t. rég.	6	assécher, t.	10
appâter, t. rég.	6	argumenter, t. ou i. rég.	6	assembler, t. rég.	6
appauvrir, t. rég.	19	armer, t. rég.	6	assener, t.	9
appeler, t.	11	armorier, t.	15	**asseoir,** t. et pr. irr.	49
appendre, t.	53	aromatiser, t. rég.	6	assermenter, t. rég.	6
appesantir, t. rég.	19	arpéger, i.	14	asservir, t. rég. **2**	19
appéter, t.	10	arpenter, t. rég.	6	assibiler, t. rég.	6
applaudir, t. rég.	19	arquebuser, t. rég.	6	**assiéger,** t.	14
appliquer, t. rég.	6	arquer, t. et i. rég.	6	assigner, t. rég.	6
appointer, t. rég.	6	arracher, t. rég.	6	assimiler, t. rég.	6
apponter, t. rég.	6	arraisonner, t. rég.	6	assister, t. et i. rég.	6
appointir, t. rég.	19	arranger, t.	8	associer, t.	15
apporter, t. rég.	6	arrenter, t. rég.	6	assoler, t. rég.	6
apposer, t. rég.	6	arrérager, i.	8	assombrir, t. rég.	19
apprécier, t.	15	arrêter, t. rég.	6	assommer, t. rég.	6
appréhender, t. rég.	6	arriérer, t. rég.	10	assoner, i. rég.	6
apprendre, t.	54	arrimer, t.	6	assortir, t. rég. **3**	19
apprêter, t. rég.	6	ariser ou ariser, t. rég.	6	assoupir, t. rég.	19
apprivoiser, t. rég.	6	arriver, i. (aux. **être**)	6	assouplir, t. rég.	19
approcher, t. rég.	6	arroger (s'), pr.	8	assourdir, t. rég.	19
approfondir, t. rég.	19	arrondir, t. rég.	19	assouvir, t. rég.	19
approprier, t.	15	arroser, t. rég.	6	assujettir *ou* assujétir,	
approuver, t. rég.	6	articuler, t. rég.	6	t. rég.	19
approvisionner, t. rég.	6	ascensionner, i. rég.	6	assumer, t. rég.	6
appuyer, t.	17	aseptiser, t. rég.	6	assurer, t. rég.	6
apurer, t. rég.	6	asperger, t.	8	asticoter, t. rég.	6
arabiser, t. rég.	6	asphalter, t. rég.	6	astiquer, t. rég.	6
araser, t. rég.	6	asphyxier, t.	15	astreindre, t.	57
arbitrer, t. rég.	6	aspirer, t. rég.	6	atermoyer, i.	17
arborer, t. rég.	6	assagir, t. rég.	19	atomiser, t. rég.	6
arboriser, i. rég.	6	**assaillir,** t.	29	atrophier, t.	15
arc-bouter, t. rég.	6	assainir, t. rég.	19	attabler (s'), pr. rég.	6
archiver, t. rég.	6	assaisonner, t. rég.	6	attacher, t. rég.	6
arçonner, t. rég.	6	assarmenter, t. rég.	6	attaquer, t. rég.	6
argenter, t. rég.	6	assassiner, t. rég.	6	attarder, t. rég.	6

1 **Apparoir,** terme employé surtout au Palais de Justice *(être évident, résulter)*, n'est plus usité qu'à l'infinitif et à la 3ᵉ personne du singulier de l'indicatif présent : *il appert.*

2 **Asservir** se conjugue régulièrement sur **finir** et non sur **servir.**

3 **Assortir** se conjugue régulièrement sur **finir** et non sur **sortir.**

b

1 Avérer signifiant *reconnaître pour vrai, vérifier,* ne s'emploie guère qu'à l'infinitif et au participe passé : *le fait est avéré.* La forme pronominale **s'avérer** se conjugue complètement mais on constate un glissement de sens de *se révéler vrai* à *se révéler* qui, en dépit des réticences des puristes, s'impose de plus en plus : *la résistance s'avéra inutile.*

2 Bailler et **bâiller** prêtent souvent à confusion.

Bâiller, avec un accent circonflexe sur l'**a,** signifie *ouvrir involontairement la bouche de faim, de fatigue ou d'ennui : on bâille souvent en voyant bâiller les autres.* Il signifie aussi *s'entrouvrir, être mal joint : cette croisée bâille;* dans ce sens il s'est substitué à **bayer,** tombé en désuétude.

Bailler, sans accent sur l'**a,** est un vieux terme de pratique qui signifie *donner, fournir, livrer : bailler à terme, bailler par contrat.* On dit aussi : *la bailler belle* au sens de : *en faire accroire;* à noter que dans cette expression le participe passé reste invariable : *il me l'a* **baillé** *belle.*

	n°		n°		n°
baliverner, i. rég.	6	bastionner, t. rég.	6	bétonner, t. rég.	6
baller, i. rég.	6	★ bastringuer, i. rég.	6	beugler, i. rég.	6
ballonner, t. rég.	6	batailler, i. rég.	6	beurrer, t. rég.	6
ballotter, t. rég.	6	bateler, t. et i.	11	biaiser, i. rég.	6
balustrer, t. rég.	6	bâter, t. rég.	6	bibeloter, t. rég.	6
★ bambocher, i. rég.	6	batifoler, i. rég.	6	biberonner, i. rég.	6
banaliser, t. rég.	6	bâtir, t. rég.	19	bichonner, t. rég.	6
bancher, t. rég.	6	bâtonner, t. rég.	6	bienvenir (inf. seul).	
bander, t. rég.	6	**battre,** t.	55	biffer, t. rég.	6
banner, t. rég.	6	bauger, i.	8	bifurquer, i. rég.	6
bannir, t. rég.	19	bavarder, i. rég.	6	bigarrer, t. rég.	6
banqueter, i.	11	baver, i.	6	bigorner, t. rég.	6
baptiser, t. rég.	6	bavocher, i. rég.	6	★ biler (se), pr. rég.	6
baqueter, t.	11	bayer, i. déf. **1**		biner, t. rég.	6
baragouiner, t. rég.	6	★ bazarder, t. rég.	6	biqueter, i.	11
baraquer, t. rég.	6	béatifier, t.	15	biscuiter, t. rég.	6
★ baratiner, i. rég.	6	bêcher, t. rég.	6	biseauter, t. rég.	6
baratter, t. rég.	6	bécoter, t. rég.	6	biser, t. rég.	6
★ barber, t. rég.	6	becqueter, t.	11	★ bisquer, i. rég.	6
★ barbifier, t.	15	★ bedonner, i. rég.	6	bisser, t. rég.	6
barboter, i. rég.	6	béer, i. déf. **1**		bistourner, t. rég.	6
barbouiller, t. rég.	6	bégayer, i.	16	bistrer, t. rég.	6
barder, t. rég.	6	bégueter, i.	12	bitumer, t. rég.	6
baréter, i.	10	bêler, i. rég.	6	bivouaquer, i. rég.	6
barguigner, i. rég.	6	bémoliser, t. rég.	6	★ blackbouler, t. rég.	6
barioler, t. rég.	6	bénéficier, ti	15	★ blaguer, i. et t. rég.	6
barrer, t. rég.	6	bénir, t. rég. **2**	19	blâmer, t. rég.	6
barricader, t. rég.	6	béquiller, i. rég.	6	blanchir, t. et i. rég.	19
barrir, i. rég.	19	bercer, t.	7	blaser, t. rég.	6
basaner, t. rég.	6	berner, t. rég.	6	blasonner, t. rég.	6
basculer, i. rég.	6	besogner, i. rég.	6	blasphémer, t.	10
baser, t. rég.	6	bétifier, t.	15	blatérer, i.	10
bassiner, t. rég.	6	bêtiser, i. rég.	6	blêmir, i. rég.	19

1 **Bayer** et **béer** sont deux survivances de l'ancienne langue. **Bayer** ne s'emploie plus guère que dans l'expression *bayer aux corneilles.* C'est un doublet de l'ancien **béer** lui-même peu usité sauf au participe présent *béant* et au participe passé *(rester bouche bée).* **Bayer,** prononcé anormalement ba-yé, s'est confondu avec **bâiller** qui l'a supplanté.

2 **Bénir** a deux participes passés :
- *bénit, bénite* qui se dit uniquement des objets consacrés par les prières de l'Église et s'emploie comme adjectif, non comme verbe : *du pain bénit, de l'eau bénite.*
- *béni, bénie* qui s'emploie dans tous les autres sens, aussi bien à la forme active qu'à la forme passive : *Le pape a béni ce mariage. Ce roi est béni par son peuple.*

1 Braire ne s'emploie pratiquement qu'à la 3e personne du singulier et du pluriel, au présent de l'indicatif, au futur et au conditionnel.

	n°
brouillasser, i. imp. rég. .	6
brouiller, t. rég.	6
brouillonner, t. rég.	6
brouir, t. rég.	19
brouter, t. rég.	6
broyer, t.	17
bruiner, imp. rég.	6
bruire, i. déf. **1**	
bruiter, i. rég.	6
brûler, t. rég.	6
brumasser, imp. rég.	6
brumer, imp. rég.	6
brunir, t. rég.	19
brusquer, t. rég.	6
brutaliser, t. rég.	6
★ bûcher, t. et i. rég.	6
budgétiser, t. rég.	6
buriner, t. rég.	6
busquer, t. rég.	6
buter, t. et i. rég.	6
butiner, t. rég.	6
butter, t. rég.	6
buvoter, i. rég.	6

c

	n°
cabaler, i. rég.	6
cabaner, i. rég.	6
câbler, t. rég.	6
cabosser, t. rég.	6
caboter, i. rég.	6
cabotiner, i. rég.	6

	n°
cabrer (se), pr. rég.	6
cabrioler, i. rég.	6
cacarder, i. rég.	6
cacher, t. rég.	6
cacheter, t.	11
cachotter, i. rég.	6
cadastrer, t. rég.	6
cadenasser, t. rég.	6
cadencer, t.	7
cadrer, t. rég.	6
cafarder, i. rég.	6
★ cafouiller, i. rég.	6
★ cagnarder, i. rég.	6
cahoter, t. rég.	6
caillebotter, t. rég.	6
cailler, t. rég.	6
cailleter, i.	11
caillouter, t. reg.	6
cajoler, t. rég.	6
calaminer, i. rég.	6
calamistrer, t. rég.	6
calandrer, t. rég.	6
calciner, t. rég.	6
calculer, t. rég.	6
caler, t. rég.	6
calfater, t. rég.	6
calfeutrer, t. rég.	6
calibrer, t. rég.	6
câliner, t. rég.	6
calligraphier, t.	15
calmer, t. rég.	6
calomnier, t.	15
calorifuger, t.	8
calotter, t. rég.	6

	n°
calquer, t. rég.	6
cambrer, t. rég.	6
cambrioler, t. rég.	6
camionner, t. rég.	6
camoufler, t. rég.	6
camper, i. ◆ rég.	6
canaliser, t. rég.	6
canarder, t. rég.	6
cancaner, i. rég.	6
candir (se), pr. rég.	19
★ caner, i. rég.	6
canneler, t.	11
canner, t. rég.	6
canoniser, t. rég.	6
canonner, t. rég.	6
canoter, i. rég.	6
cantonner, t. et i. rég.	6
caoutchouter, t. rég.	6
caparaçonner, t. rég.	6
capeler, t.	11
capitaliser, t. rég.	6
capitonner, t. rég.	6
capituler, i. rég.	6
★ caponner, i. rég.	6
caporaliser, t. rég.	6
capoter, i. rég.	6
capsuler, t. rég.	6
capter, t. rég.	6
captiver, t. rég.	6
capturer, t. rég.	6
caquer, t. rég.	6
caqueter, i.	11
caracoler, i. rég.	6
caractériser, t. rég.	6

1 Bruire ne s'emploie guère qu'à l'infinitif, aux 3e personnes de l'indicatif présent : *il bruit, ils bruissent;* de l'imparfait: *il bruissait, ils bruissaient;* du subjonctif présent : *qu'il bruisse, qu'ils bruissent;* du participe présent : *bruissant.* Ces formes refaites sur **finir,** en usage chez les meilleurs écrivains depuis Bernardin de Saint-Pierre *(Les insectes bruissaient sous l'herbe),* ont supplanté l'ancienne conjugaison : *il bruyait, ils bruyaient, bruyant* (conservé comme adjectif). En revanche les formes déduites d'un infinitif aberrant **bruisser,** telles que : *il bruisse, il bruissa, ils bruissèrent,* sont à condamner.

1 **Cesser** prend normalement l'auxiliaire **avoir,** qu'il soit transitif : *il* **a** *cessé ses cris ;* ou intransitif : *ses plaintes* **ont** *cessé.* L'emploi de l'auxiliaire **être** pour marquer l'état : *ses plaintes* **sont** *cessées,* est à peu près sorti de l'usage.

2 **Chaloir** a vieilli et ne s'emploie qu'impersonnellement ; il ne se dit guère que dans des locutions figées comme : *Peu m'en chaut = je ne m'en soucie pas.*

	n°
chavirer, i. ◆ rég.	6
cheminer, i. rég.	6
chemiser, t. rég.	6
chercher, t. rég.	6
chérir, t. rég.	19
chevaler, t. rég.	6
chevaucher, t. rég.	6
cheviller, t. rég.	6
chevreter, i.	11
chevronner, t. rég.	6
chevroter, i. rég.	6
chicaner, i. et t. rég.	6
chicoter, i. rég.	6
chiffonner, t. rég.	6
chiffrer, i. et t. rég.	6
chiner, t. rég.	6
★ chiper, t. rég.	6
chipoter, i. rég.	6
chiquer, t. rég.	6
chloroformer, t. rég.	6
choir, i. irr. déf.	52
choisir, t. rég.	19
chômer, i. rég.	6
chopiner, i. rég.	6
★ choper, t. rég.	6
chopper, i. rég.	6
choquer, t. rég.	6
choyer, t.	17
christianiser, t. rég.	6
chromer, t. rég.	6
chronométrer, t.	10
chuchoter, i. et t. rég.	6
chuinter, i. rég.	6
chuter, t. et i. rég.	6
cicatriser, t. rég.	6
ciller, i. rég.	6
cimenter, t. rég.	6
cinématographier, t.	15

	n°
cingler, t. et i. rég.	6
cintrer, t. rég.	6
circoncire, t. **1**	81
circonscrire, t.	80
circonstancier, t.	15
circonvenir, t.	23
circuler, i. rég.	6
cirer, t. rég.	6
cisailler, t. rég.	6
ciseler, t.	12
citer, t. rég.	6
civiliser, t. rég.	6
clabauder, i. rég.	6
claboter, t. rég.	6
claironner, t. rég.	6
clamer, t. rég.	6
clapir, i. rég.	19
clapoter, i. rég.	6
clapper, i. rég.	6
claquemurer, t. rég.	6
claquer, t. rég.	6
claqueter, i.	11
clarifier, t.	15
classer, t. rég.	6
classifier, t.	15
clatir, i. rég.	19
claudiquer, i. rég.	6
claustrer, t. rég.	6
claveter, t.	11
clayonner, t. rég.	6
clicher, t. rég.	6
cligner, t. rég.	6
clignoter, i. rég.	6
climatiser, t. rég.	6
cliqueter, i.	11
clisser, t. rég.	6
cliver, t. rég.	6
clocher, i. rég.	6

	n°
cloisonner, t. rég.	6
cloîtrer, t. rég.	6
clopiner, i. rég.	6
cloquer, i. rég.	6
clore, t. déf.	70
clôturer, t. rég.	6
clouer, t. rég.	6
clouter, t. rég.	6
coaguler, t. rég.	6
coaliser (se), pr. rég.	6
coasser, i. rég.	6
cocher, t. rég.	6
cochonner, t. rég.	6
cocufier, t.	15
coder, t. rég.	6
codifier, t.	15
coexister, i. rég.	6
coffrer, t. rég.	6
★ cogiter, i. rég.	6
cogner, i. et t. rég.	6
cohabiter, i. rég.	6
cohériter, t. rég.	6
coiffer, t. rég.	6
coincer, t.	7
coïncider, i. rég.	6
cokéfier, i.	15
collaborer, i. rég.	6
collationner, t. et i. rég.	6
collecter, t. rég.	6
collectionner, t. rég.	6
coller, t. et i. rég.	6
colleter, t.	11
colliger, t.	8
colloquer, t. rég.	6
colmater, t. rég.	6
coloniser, t. rég.	6
colorer, t. rég.	6
colorier, i.	15

1 Circoncire, tout en se conjuguant sur **confire,** fait au participe passé *circoncis, ise.*

1 Comparoir. Terme de pratique qui n'est guère usité que dans l'expression *être assigné à comparoir : être assigné à se présenter en justice.* Il a vieilli; on dit aujourd'hui : **comparaître.**

2 Complaire, même à la forme pronominale, a toujours son participe passé invariable : *elle s'est complu à lire ce livre.*

	n°
constiper, t. rég.	6
constituer, t. rég.	6
constitutionnaliser, t. rég.	6
construire, t.	82
consulter, t. rég.	6
consumer, t. rég.	6
contacter, t. rég.	6
contagionner, t. rég.	6
contaminer, t. rég.	6
contempler, t. rég.	6
contenir, t.	23
contenter, t. rég.	6
conter, t. rég.	6
contester, t. rég.	6
contingenter, t. rég.	6
continuer, t. rég.	6
contorsionner (se), pr. rég.	6
contourner, t. rég.	6
contracter, t. rég.	6
contraindre, t.	59
contrarier, t.	15
contraster, i. rég.	6
contre-attaquer, t. rég.	6
contre-balancer, t.	7
contre-battre, t.	55
contre-bouter ou contre-buter, t. rég.	6
contrecarrer, t. rég.	6
contredire, t. **1**	78
contrefaire	62

	n°
★ contre-ficher (se), pr. rég.	6
contre-hacher, t. rég.	6
contre-indiquer, t. rég.	6
contremander, t. rég.	6
contremanifester, i. rég.	6
contremarquer, t. rég.	6
contre-miner, t. rég.	6
contre-murer, t. rég.	6
contre-passer, t. rég.	6
contre-plaquer, t. rég.	6
contrer, t. rég.	6
contre-sceller, t. rég.	6
contresigner, t. rég.	6
contre-tirer, t. rég.	6
contrevenir, ti	23
contribuer, ti. rég.	6
contrister, t. rég.	6
contrôler, t. rég.	6
controuver, t. rég.	6
controverser, t. rég.	6
contusionner, t. rég.	6
convaincre, i. **2**	60
convenir, ti. et i. ◆**3**	23
conventionner, t. rég.	6
converger, i.	8
converser, i. rég.	6
convertir, t. rég.	19
convier, t.	15
convoiter, t. rég.	6
convoler, i. rég.	6
convoquer, t. rég.	6

	n°
convoyer, t.	17
convulsionner, t. rég.	6
coopérer, ti.	10
coopter, t. rég.	6
coordonner, t. rég.	6
copartager, t. rég.	8
copier, t.	15
coposséder, t.	10
coqueter, i.	11
coquiller, i. rég.	6
cordeler, t.	11
corder, t. rég.	6
cordonner, t. rég.	6
corner, t. et i. rég.	6
correctionnaliser, t. rég.	6
correspondre, i.	53
corriger, t.	8
corroborer, t. rég.	6
corroder, t. rég.	6
corrompre, t.	53
corroyer, t.	17
corser, t. rég.	6
corseter, t.	12
costumer, t. rég.	6
coter, t. rég.	6
cotir, t. rég.	19
cotiser, i. rég.	6
cotonner (se), pr. rég.	6
côtoyer, t.	17
coucher, t. et i. rég.	6
couder, t. rég.	6

1 Contredire se conjugue sur **dire**, sauf aux 2e personnes du pluriel : *vous contredisez* ; impératif : *contredisez*.

2 Convaincre fait au participe présent *convainquant*, à distinguer de l'adjectif *convaincant*, écrit avec un **c**.

3 Convenir prend l'auxiliaire **avoir** quand il signifie *être propre à, plaire* : *Cette maison m'a convenu* (Ac.). Quand il signifie *faire un accord, une convention*, il prend toujours, dit-on, l'auxiliaire **être** : *Ils sont convenus de se trouver en tel lieu* (Ac.). Mais l'usage, à juste titre, autorise de plus en plus l'emploi de l'auxiliaire **avoir** quand on veut insister plus sur l'action que sur le résultat : *Nous avions convenu d'une cachette* (Gide). Il est intéressant de distinguer : *J'avais convenu avec vous de cette date* et *nous en étions convenus*.

d

1   Courbaturer. Bien que vieilli, le participe passé *courbattu* s'emploie encore de préférence à *courbaturé.*

2   Courre ne s'emploie qu'à l'infinitif, dans la langue de la vénerie : *courre le cerf, chasse à courre.*

3   Coûter. Le participe passé est invariable : *les cinquante francs que ce livre a* **coûté,** sauf au sens de *causer, occasionner,* où ce verbe devient transitif : *Que de larmes n'a-t-il pas* **coûtées** *à ses parents !*

	n°		n°		n°
darder, t. rég.	6	débouler, t. rég.	6	décarêmer (se), pr. rég.	6
dater, t. rég.	6	déboulonner, t. rég.	6	décarreler, t.	11
dauber, t. rég.	6	débouquer, t. rég.	6	décatir, t. rég.	19
★ déambuler, i. rég.	6	débourber, t. rég.	6	décaver, t. rég.	6
débâcler, t. rég.	6	débourrer, t. rég.	6	décéder, i. (aux. être).	10
★ débagouler, t. rég.	6	débourser, t. rég.	6	déceler, t.	12
déballer, t. rég.	6	débouter, t. rég.	6	décélérer, i.	10
débalourder, t. rég.	6	déboutonner, t. rég.	6	décentraliser, t. rég.	6
débander, t. rég.	6	débrailler (se), pr. rég.	6	décentrer, t. rég.	6
débanquer, t. rég.	6	débrancher, t. rég.	6	décercler, t. rég.	6
débaptiser, t. rég.	6	débrayer, t.	16	décerner, t. rég.	6
débarbouiller, t. rég.	6	débrider, t. rég.	6	décevoir, t.	38
débarder, t. rég.	6	débrocher, t. rég.	6	déchaîner, t. rég.	6
débarquer, t. et i. rég.	6	débrouiller, t. rég.	6	déchanter, i. rég.	6
débarrasser, t. rég.	6	débroussailler, t. rég.	6	déchaperonner, t. rég.	6
débarrer, t. rég.	6	débrutir, t. rég.	19	décharger, t.	8
débâter, t. rég.	6	débûcher, t. rég.	6	décharner, t. rég.	6
débâtir, t. rég.	19	débusquer, t. rég.	6	déchaumer, t. rég.	6
débattre, t.	55	débuter, i. rég.	6	déchausser, t. rég.	6
débaucher, t. rég.	6	décacheter, t.	11	décheveler, t.	11
débiliter, t. rég.	6	décaféiner, t. rég.	6	déchiffrer, t. rég.	6
débillarder, t. rég.	6	décaisser, t. rég.	6	déchiqueter, t.	11
★ débiner, t. rég.	6	décalaminer, t. rég.	6	déchirer, t. rég.	6
débiter, t. rég.	6	décalcifier, t. rég.	15	**déchoir**, i. ◆ déf.	52
déblatérer, i.	10	décaler, t. rég.	6	déchouer, t. rég.	6
déblayer, t.	16	decalotter, t. rég.	6	déchristianiser, t. rég.	6
débloquer, t. rég.	6	décalquer, t. rég.	6	décider, t. rég.	6
débobiner, t. rég.	6	décamper, i. ◆ rég.	6	décimer, t. rég.	6
déboiser, t. rég.	6	★ décaniller, i. rég.	6	décintrer, t. rég.	6
déboîter, t. rég.	6	décanter, t. rég.	6	déclamer, t. et i. rég.	6
débonder, t. rég.	6	décapeler, t.	11	déclarer, t. rég.	6
déborder, i. ◆ et t. rég.	6	décaper, t. rég.	6	déclasser, t. rég.	6
débosseler, t.	11	décapiter, t. rég.	6	déclencher, t. rég.	6
débosser, t. rég.	6	décapoter, t. rég.	6	décliner, t. et i. rég.	6
débotter, t. rég.	6	décapuchonner, t. rég.	6	déclinquer, t. rég.	6
déboucher, t. rég.	6	décarbonater, t. rég.	6	décliqueter, t.	11
déboucler, t. rég.	6	décarburer, t. rég.	6	déclore, t. déf. **1**	70
débouillir, t.	31	★ décarcasser (se), pr. rég.	6	déclouer, t. rég.	6

1 **Déclore** se conjugue comme **clore** mais ne prend pas l'accent circonflexe au présent de l'indicatif : *il déclot*. N'est guère usité qu'à l'infinitif et au participe passé *déclos, déclose*.

	n°
décocher, t. rég.	6
décoder, t. rég.	6
décoffrer, t. rég.	6
décoiffer, t. rég.	6
décoincer, t. rég.	7
décolérer, i. rég.	10
décoller, t. rég.	6
décolleter, t.	11
décoloniser, t. rég.	6
décolorer, t. rég.	6
décommander, t. rég.	6
décompléter, t.	10
décomposer, t. rég.	6
décomprimer, t. rég.	6
décompter, t. rég.	6
déconcerter, t. rég.	6
déconfire, t.	81
décongestionner, t. rég.	6
déconseiller, t. rég.	6
déconsidérer, t.	10
déconsigner, t. rég.	6
décontenancer, t.	7
décontracter, t. rég.	6
décorder, t. rég.	6
décorer, t. rég.	6
décorner, t. rég.	6
décortiquer, t. rég.	6
découcher, i. rég.	6
découdre, t.	73
découler, i. rég.	6
découper, t. rég.	6
découpler, t. rég.	6
décourager, t.	8
découronner, t. rég.	6
découvrir, t.	27

	n°
décrasser, t. rég.	6
décréditer, t. rég.	6
décrépir, t. rég. **1**	19
décrépiter, i. rég.	6
décréter, t.	10
décrier, t.	15
décrire, t.	80
décrocher, t. rég.	6
décroiser, t. rég.	6
décroître, i. ◆**2**	67
décrotter, t. rég.	6
décruer, t. rég.	6
décrypter, t. rég.	6
déculasser, t. rég.	6
déculotter, t. rég.	6
décupler, t. rég.	6
décuver, t. rég.	6
dédaigner, t. rég.	6
dédicacer, t.	7
dédier, t.	15
dédire, t. **3**	78
dédommager, t.	8
dédorer, t. rég.	6
dédouaner, t. rég.	6
dédoubler, t. rég.	6
déduire, t.	82
défâcher, t. rég.	6
défaillir, i. déf.	30
défaire, t.	62
défalquer, rég.	6
défaufiler, t. rég.	6
défausser, t. rég.	6
défavoriser, t. rég.	6
défendre, t.	53
déféquer, t.	10

	n°
déférer, t.	10
déferler, i. et t. rég.	6
déferrer, t. rég.	6
défeuiller, t. rég.	6
défibrer, t. rég.	6
déficeler, t.	11
défier, t.	15
défiger, t.	8
défigurer, t. rég.	6
défiler, t. rég.	6
définir, t. rég.	19
déflagrer, i. rég.	6
défleurir, t. et i. rég.	19
déflorer, t. rég.	6
défoncer, t.	7
déformer, t. rég.	6
défourner, t. rég.	6
défraîchir, t. rég.	19
défrayer, t.	16
défricher, t. rég.	6
défriper, t. rég.	6
défriser, t. rég.	6
défroisser, t. rég.	6
défroncer, t.	7
défroquer, t. rég.	6
défruiter, t. rég.	6
dégager, t.	8
dégainer, t. et i. rég.	6
déganter, t. rég.	6
dégarnir, t. rég.	19
dégauchir, t. rég.	19
dégazonner, t. rég.	6
dégeler, t. et i. ◆	12
dégénérer, i. ◆	10
dégermer, t. rég.	6

1 Décrépir. Ne pas confondre *décrépit, décrépite : qui tombe en décrépitude*, et *décrépi, décrépie : qui a perdu son crépi*.

2 Décroître se conjugue sur **croître**, mais n'ayant pas de confusion à redouter avec **croire** ne prend pas l'accent circonflexe aux formes suivantes : *je décrois, tu décrois, je décrus, tu décrus, il décrut, ils décrurent, décru*.

3 Dédire se conjugue comme **dire** sauf aux 2e personnes du pluriel *vous dédisez*, impératif *dédisez*.

1 Dégrafer. Il faut bien se garder de dire *désagrafer* pour **dégrafer**. *Désagrafer* n'est pas français.

2 Demeurer s'emploie : 1° avec l'auxiliaire **être** au sens de *s'arrêter, rester* : *Les choses en* **sont** *demeurées là*; 2° avec l'auxiliaire **avoir** au sens de *habiter* : *Pendant le temps que j'*ai *demeuré à Paris...*; 3° généralement avec **avoir** au sens de *mettre du temps à* : *Il n'*a *demeuré qu'une heure à faire cette réparation.*

	n°		n°		n°
démurer, t. rég.	6	dépareiller, t. rég.	6	déplomber, t. rég.	6
démuseler, t.	11	déparer, t. rég.	6	déplorer, t. rég.	6
démystifier, t.	15	déparier, t.	15	déployer, t.	17
dénantir, t. rég.	19	déparquer, t. rég.	6	déplumer, t. rég.	6
dénasaliser, t. rég.	6	départager, t.	8	dépocher, t. rég.	6
dénationaliser, t. rég.	6	départir, t. rég. **1**	25	dépoétiser, t. rég.	6
dénatter, t. rég.	6	dépasser, t. rég.	6	dépointer, t. rég.	6
dénaturaliser, t. rég.	6	dépaver, t. rég.	6	dépolariser, t. rég.	6
dénaturer, t. rég.	6	dépayser, t. rég.	6	dépolir, t. rég.	19
dénazifier, t.	15	dépecer, t. **2**	9	dépolitiser, t. rég.	6
déniaiser, t. rég.	6	dépêcher, t. rég.	6	déporter, t. rég.	6
dénicher, t. et i. ◆ rég.	6	dépeigner, t. rég.	6	déposer, t. et i. rég.	6
dénicotiniser, t. rég.	6	dépeindre, t.	57	déposséder, t.	10
dénier, t.	15	dépelotonner, rég.	6	dépoter, t. rég.	6
dénigrer, t. rég.	6	dépendre, t. et i.	53	dépoudrer, t. rég.	6
dénitrifier, t.	15	dépenser, t. rég.	6	dépouiller, t. rég.	6
déniveler, t.	11	dépérir, i. rég.	19	dépourvoir, t. **4**	40
dénombrer, t. rég.	6	dépersonnaliser, t. rég.	6	dépoussiérer, t.	10
dénommer, t. rég.	6	dépêtrer, t. rég.	6	dépraver, t. rég.	6
dénoncer, t.	7	dépeupler, t. rég.	6	déprécier, t.	15
dénoter, t. rég.	6	déphosphorer, t. rég.	6	déprendre, t.	54
dénouer, t. rég.	6	dépiauter, t. rég.	6	déprimer, t. rég.	6
dénoyauter, t. rég.	6	dépiquer, t. rég.	6	dépriser, t. rég.	6
denteler, t.	11	dépister, t. rég.	6	dépurer, t. rég.	6
denter, t. rég.	6	dépiter, t. rég.	6	députer, t. rég.	6
dénuder, t. rég.	6	déplacer, t.	7	déquiller, t. rég.	6
dénuer, t. rég.	6	déplaire, i. imp. **3**	63	déraciner, t. rég.	6
dépailler, t. rég.	6	déplanter, t. rég.	6	dérader, i. rég.	6
dépalisser, t. rég.	6	déplâtrer, t. rég.	6	dérager, i.	8
dépanner, t. rég.	6	déplier, t.	15	déraidir, t. rég.	19
dépaqueter, t.	11	déplisser, t. rég.	6	dérailler, i. rég.	6

1 Départir employé d'ordinaire à la forme pronominale **se départir** se conjugue normalement comme **partir**, *i* : *je me dépars..., je me départais..., se départant*. On peut regretter que de bons auteurs, sous l'influence sans doute de **répartir**, écrivent : *il se départissait, se départissant* et même, au présent de l'indicatif, *il se départit*.

2 Dépecer. Ne pas oublier le **ç** devant **a** et **o** (cf. **placer** tableau 7).

3 Déplaire. Le participe passé *déplu* est invariable même à la forme pronominale : *Ils se sont déplu dans ce quartier.*

4 Dépourvoir s'emploie rarement et seulement au passé simple, à l'infinitif, au participe passé et aux temps composés : *Il le dépourvut de tout.* On l'utilise surtout à la forme pronominale : *Je me suis dépourvu de tout pour vous.*

	n°		n°		n°
déraisonner, i. rég.	6	désarçonner, t. rég.	6	désenivrer, t. rég.	6
déranger, t.	8	désargenter, t. rég.	6	désenlacer, t.	7
déraper, i. rég.	6	désarmer, t. rég.	6	désenlaidir, t. et i. rég.	19
déraser, t. rég.	6	désarrimer, t. rég.	6	désennuyer, t.	17
dérater, t. rég.	6	désarticuler, t. rég.	6	désenrayer, t.	16
dératiser, t. rég.	6	désassembler, t. rég.	6	désenrhumer, t. rég.	6
dérayer, t.	16	désassimiler, t. rég.	6	désenrouer, t. rég.	6
dérégler, t.	10	désassortir, t. rég.	19	désensabler, t. rég.	6
dérelier, t.	15	désavantager, t.	8	désensibiliser, t. rég.	6
dérider, t. rég.	6	désaveugler, t. rég.	6	désensorceler, t.	11
dériver, t. et t. rég.	6	désavouer, t. rég.	6	désentasser, t. rég.	6
dérober, t. rég.	6	désaxer, t. rég.	6	désentoiler, t. rég.	6
dérocher, t. et i. rég.	6	desceller, t. rég.	6	désentortiller, t. rég.	6
déroger, ti.	8	descendre, t.	53	désentraver, t. rég.	6
dérouiller, t. rég.	6	— i. (aux. être) **1**	53	désenvaser, t. rég.	6
dérouler, t. rég.	6	déséchouer, t. rég.	6	désenvelopper, t. rég.	6
dérouter, t. rég.	6	désembourber, t. rég.	6	désenvenimer, t. rég.	6
désabonner, t. rég.	6	désembourgeoiser,		déséquilibrer, t. rég.	6
désabuser, t. rég.	6	t. rég.	6	déserter, t. rég.	6
désaccorder, t. rég.	6	désembrayer, t.	16	désespérer, t. et i.	10
désaccoupler, t. rég.	6	désemmancher, t. rég.	6	déshabiller, t. rég.	6
désaccoutumer, t. rég.	6	désemparer, t. rég.	6	déshabituer, t. rég.	6
désaffecter, t. rég.	6	désempeser, t.	9	désherber, t. rég.	6
désaffectionner, t. rég.	6	désemplir, t. rég.	19	déshériter, t. rég.	6
désaffubler, t. rég.	6	désencadrer, t. rég.	6	déshonorer, t. rég.	6
désagréger, t.	14	désenchaîner, t. rég.	6	déshuiler, t. rég.	6
désaimanter, t. rég.	6	désenchanter, t. rég.	6	déshydrater, t. rég.	6
désajuster, t. rég.	6	désenclaver, t. rég.	6	déshydrogéner, t.	10
désaltérer, t.	10	désencombrer, t. rég.	6	désigner, t. rég.	6
désamarrer, t. rég.	6	désenfiler, t. rég.	6	désillusionner, t. rég.	6
désamorcer, t.	7	désenflammer, t. rég.	6	désincorporer, t. rég.	6
désapparier, t.	15	désenfler, t. et i. rég.	6	désincruster, t. rég.	6
désappointer, t. rég.	6	désenfumer, t. rég.	6	désinfecter, t. rég.	6
désapprendre, t.	54	désengager, t.	8	désintégrer, t. rég.	10
désapprouver, t. rég.	6	désengorger, t.	8	désintéresser, t. rég.	6
désapprovisionner, t rég.	6	désengrener, t.	9	désintoxiquer, t. rég.	6

1 Descendre. Quand on veut insister sur le résultat on emploie toujours l'auxiliaire **être** : *Il est descendu chez des amis* (Ac.). Mais même pour indiquer l'action l'auxiliaire **être** s'emploie plus couramment qu'**avoir** : *Nous* **sommes** *aussitôt descendus de voiture*.. Cependant on peut correctement écrire : *Il* **a** *descendu bien promptement* (Ac.).

	n°		n°		n°
disconvenir,		distendre, t.	53	doucir, t. rég.	19
ti. (aux. être) **1**	23	distiller, t. et i. rég.	6	douer, t. rég.	6
discorder, i. rég.	6	distinguer, t. rég.	6	douter, ti. et i. rég.	6
discourir, i. et ti.	33	distordre, t. rég.	53	draguer, t. rég.	6
discréditer, t. rég.	6	distraire, t. déf.	61	drainer, t. rég.	6
discriminer, t. rég.	6	distribuer, t. rég.	6	dramatiser, t. rég.	6
disculper, t. rég.	6	divaguer, i. rég.	6	draper, t. rég.	6
discutailler, i. rég.	6	diverger, i.	8	dresser, t. rég.	6
discuter, t. rég.	6	diversifier, t. rég.	15	dribbler, i. rég.	6
disgracier, t.	15	divertir, t. rég.	19	driver, i. rég.	6
disjoindre, t.	58	diviniser, t. rég.	6	droguer, t. rég.	6
disloquer, t. rég.	6	diviser, t. rég.	6	drosser, t. rég.	6
disparaître, i. ◆ **2**	64	divorcer, i. ◆	7	dulcifier, t.	15
dispenser, t. rég.	6	divulguer, t. rég.	6	duper, t. rég.	6
disperser, t. rég.	6	documenter, t. rég.	6	durcir, t. rég.	19
disposer, t. rég.	6	dodeliner, t. et i. rég.	6	durer, i. rég.	6
disproportionner, t. rég.	6	dogmatiser, i. rég.	6	dynamiter, t. rég.	6
disputailler, ti. rég.	6	domestiquer, t. rég.	6		
disputer, t. rég.	6	domicilier (se), pr.	15		
disqualifier, t.	15	dominer, t. et i. rég.	6	**e**
disséminer, t. rég.	6	dompter, t. rég.	6		
disséquer, t.	10	donner, t. rég.	6		
disserter, ti. rég.	6	doper, t. rég.	6	ébahir (s'), pr. rég.	19
dissimuler, t. rég.	6	dorer, t. rég.	6	ébarber, t. rég.	6
dissiper, t. rég.	6	dorloter, t. rég.	6	ébattre (s'), pr.	55
dissocier, t.	15	**dormir,** i.	32	ébaubir (s'), pr. rég.	19
dissoner, i. rég.	6	doser, t. rég.	6	ébaucher, t. rég.	6
dissoudre, t. **3**	72	doter, t. rég.	6	★ ébaudir, t. rég.	19
dissuader, t. rég.	6	doubler, t. rég.	6	éberluer, t. rég.	6
distancer, t.	7	doucher, t. rég.	6	éblouir, t. rég.	19

1 Disconvenir se conjugue avec l'auxiliaire **être** au sens de *ne pas convenir d'une chose, la nier,* avec l'auxiliaire **avoir** au sens de *ne pas convenir à,* mais cette acception est désuète.

2 Disparaître, comme **apparaître** prend normalement l'auxiliaire **avoir** pour exprimer l'action, l'auxiliaire **être** pour exprimer l'état résultant de cette action. Quand, avec l'Académie, je dis : *le soleil* **a** *disparu derrière l'horizon,* j'indique qu'à un moment donné le soleil a fait, apparemment, l'action de descendre par-delà la ligne d'horizon. Mais si, constatant l'absence du soleil dans le ciel, je veux exprimer l'état consécutif à cette disparition, je dirai : *Le soleil* **est** *disparu.* Comparer les emplois suivants : *Elle était sans cesse tournée vers le côté où le vaisseau d'Ulysse fendant les eaux* **avait** *disparu à ses yeux* (Fénelon).
    Et de quelque côté que je tourne la vue
    La foi de tous les cœurs **est** *pour moi disparue* (Racine).

1 Dissoudre se conjugue comme **absoudre,** y compris le participe passé *dissous, dissoute,* distinct de l'ancien participe *dissolu, ue* qui a subsisté comme adjectif au sens de *corrompu, débauché.*

	n°		n°		n°
éborgner, t. rég.	6	échauder, t. rég.	6	écouler, t. rég.	6
ébouer, t. rég.	6	échauffer, t. rég.	6	écourter, t. rég.	6
ébouillanter, t. rég.	6	échauler, t. rég.	6	écouter, t. rég.	6
ébouler, t. rég.	6	échelonner, t. rég.	6	écouvillonner, t. rég.	6
ébourgeonner, t. rég.	6	écheniller, t. rég.	6	écrabouiller, t. rég.	6
ébourrer, t. rég.	6	écheveler, t.	11	écraser, t. rég.	6
ébouriffer, t. rég.	6	échiner, t. rég.	6	écrémer, t.	10
ébouter, t. rég.	6	**échoir** i. (aux. être)	52	écrêter, t. rég.	6
ébrancher, t. rég.	6	échopper, t. rég.	6	écrier (s'), pr.	15
ébranler, t. rég.	6	échouer, i. ♦ et t. rég.	6	**écrire,** t.	80
ébraser, t. rég.	6	écimer, t. rég.	6	écrivailler, t. rég.	6
ébrécher, t. rég.	10	éclabousser, t. rég.	6	écrivasser, i. rég.	6
ébrouer (s'), pr. rég.	6	éclaircir, t. rég.	19	écrouer, t. rég.	6
ébruiter, t. rég.	6	éclairer, t. rég.	6	écrouir, t. rég.	19
écacher, t. rég.	6	éclater, i. rég.	6	écrouler (s'), pr. rég.	6
écailler, t. rég.	6	éclipser, t. rég.	6	écroûter, t. rég.	6
écaler, t. rég.	6	éclisser, t. rég.	6	éculer, t. rég.	6
écanguer, t. rég.	6	★ écloper, t. rég.	6	écumer, t. et i. rég.	6
écarquiller, t. rég.	6	éclore, i. (aux. être).		écurer, t. rég.	6
écarteler, t.	12	déf. **2**	70	écussonner, t. rég.	6
écarter, t. rég.	6	écluser, t. rég.	6	édenter, t. rég.	6
écatir, t. rég.	19	écobuer, t. rég.	6	édicter, t. rég.	6
échafauder, t. rég.	6	écœurer, t. rég.	6	édifier, t.	15
échalasser, t. rég.	6	éconduire, t.	82	éditer, t. rég.	6
échampir, t. rég.	19	économiser, t. rég.	6	édulcorer, t. rég.	6
échancrer, t. rég.	6	écoper, t. rég.	6	éduquer, t. rég.	6
échanger, t.	8	★ écoper, i. rég.	6	éfaufiler, t. rég.	6
échantillonner, t. rég.	6	écorcer, t.	7	effacer, t.	7
échapper, i. ♦ et ti. **1**	6	écorcher, t. rég.	6	effaner, t. rég.	6
échardonner, t. rég.	6	écorner, t. rég.	6	effarer, t. rég.	6
écharner, t. rég.	6	écornifler, t. rég.	6	effaroucher, t. rég.	6
écharper, t. rég.	6	écosser, t. rég.	6	effectuer, t. rég.	6

1 **Échapper** veut toujours l'auxiliaire **avoir** au sens de *n'être pas saisi, n'être pas compris* : *Votre demande* **m'avait** *d'abord échappé.* Au sens de *être dit ou fait par inadvertance,* il prend l'auxiliaire **être** : *Il est impossible qu'une pareille bévue lui* **soit** *échappée* (Ac.). Au sens de *s'enfuir,* il utilise **avoir** ou **être** selon que l'on insiste sur l'action ou sur l'état : *Le prisonnier* **a** *échappé. Il* **est** *échappé de prison.* Noter le participe passé non accordé dans l'expression : *Il l'a* **échappé** *belle.*

2 **Éclore** se conjugue comme **clore** mais ne s'emploie guère qu'à la 3e personne. L'Académie écrit *il éclot* sans accent circonflexe. On emploie parfois l'auxiliaire **avoir** pour insister sur l'action elle-même : *Ces poussins* **ont** *éclos ce matin; ceux-là* **sont** *éclos depuis hier.* Mais l'auxiliaire **être** est toujours possible : *Ces fleurs* **sont** *écloses cette nuit* (Ac.).

	n°		n°		n°
efféminer, t. rég.	6	élider, t. rég.	6	embourgeoiser (s'),	
effeuiller, t. rég.	6	élimer, t. rég.	6	pr. rég.	6
effiler, t. rég.	6	éliminer, t. rég.	6	embourrer, t. rég.	6
effilocher, t. rég.	6	élinguer, t. rég.	6	embouteiller, t. rég.	6
efflanquer, t. rég.	6	élire, t.	77	embouter, t. rég.	6
effleurer, t. rég.	6	éloigner, t. rég.	6	emboutir, t. rég.	19
effleurir, i. rég.	19	élonger, t.	8	embrancher, t. rég.	6
effondrer, t. rég.	6	élucider, t. rég.	6	embraser, t. rég.	6
efforcer (s'), pr.	7	élucubrer, t. rég.	6	embrasser, t. rég.	6
effranger, t.	8	éluder, t. rég.	6	embrayer, t.	16
effrayer, t.	16	émacier (s'), pr.	15	embrever, t.	9
effriter, t. rég.	6	émailler, t. rég.	6	embrigader, t. rég.	6
égailler (s'), pr. rég.	6	émanciper, t. rég.	6	★ embringuer, t. rég.	6
égaler, t. rég.	6	émaner, i. rég.	6	embrocher, t. rég.	6
égaliser, t. rég.	6	émarger, t.	8	embroncher, t. rég.	6
égarer, t. rég.	6	émasculer, t. rég.	6	embrouiller, t. rég.	6
égayer, t.	16	embabouiner, t. rég.	6	embrumer, t. rég.	6
égermer, t. rég.	6	emballer, t. rég.	6	embrunir, t. rég.	19
égorger, t.	8	embarbouiller, t. rég.	6	embuer, t. rég.	6
égosiller (s'), pr. rég.	6	embarquer, t. rég.	6	embusquer, t. rég.	6
égoutter, t. et i. rég.	6	embarrasser, t. rég.	6	émécher, t.	10
égrainer, t. rég.	6	embarrer (s'), pr. rég.	6	émerger, i.	8
égrapper, t. rég.	6	embastiller, t. rég.	6	émerveiller, t. rég.	6
égratigner, t. rég.	6	embâter, t. rég.	6	émettre, t.	56
égrener, t.	9	embatre ou embattre, t.	55	émier, t.	15
égriser, t. rég.	6	embaucher, t. rég.	6	émietter, t. rég.	6
égruger, t.	8	embaumer, t. rég.	6	émigrer, i. rég.	6
égueuler, t. rég.	6	embecquer, t. rég.	6	émincer, t.	7
éjaculer, t. rég.	6	★ emberlificoter, t. rég.	6	emmagasiner, t. rég.	6
éjecter, t. rég.	6	embéguiner, t. rég.	6	emmailloter, t. rég.	6
éjointer, t. rég.	6	embellir, t. et i. ◆ rég.	19	emmancher, t. rég.	6
élaborer, t. rég.	6	★ embêter, t. rég.	6	emmêler, t. rég.	6
élaguer, t. rég.	6	emblaver, t. rég.	6	emménager,	
élancer, t.	7	embobeliner, t. rég.	6	t. et i.	8
élargir, t. rég.	19	★ embobiner, t. rég.	6	emmener, t.	9
électrifier, t.	15	emboire, t.	69	emmétrer, t.	10
électriser, t. rég.	6	emboîter, t. rég.	6	emmieller, t. rég.	6
électrocuter, t. rég.	6	embosser, t. rég.	6	emmitoufler, t. rég.	6
électrolyser, t. rég.	6	emboucher, t. rég.	6	emmortaiser, t. rég.	6
élégir, t. rég.	19	embouquer, t. et i. rég.	6	emmurer, t. rég.	6
élever, t.	9	embourber, t. rég.	6	émonder, t. rég.	6

1 Émotionner. Doublet abusif de **émouvoir;** à proscrire.

2 Émouvoir se conjugue sur **mouvoir,** mais son participe passé masculin singulier : *ému* ne prend pas d'accent circonflexe.

3 Enclore possède les formes *nous enclosons, vous enclosez;* impératif : *enclosons, enclosez.* L'Académie écrit sans accent circonflexe *il enclot.*

	n°
enfaîter, t. rég.	6
enfanter, t. et i. rég.	6
enfariner, t. rég.	6
enfermer, t. rég.	6
enferrer, t. rég.	6
enfieller, t. rég.	6
enfiévrer, t.	10
enfiler, t. rég.	6
enflammer, t. rég.	6
enfler, t. et i. rég.	6
enfleurer, t. rég.	6
enfoncer, t. et i.	7
enfouir, t. rég.	19
enfourcher, t. rég.	6
enfourner, t. rég.	6
enfreindre, t.	57
enfuir (s'), pr.	36
enfumer, t. rég.	6
enfutailler, t. rég.	6
engager, t.	8
engainer, t. rég.	6
engazonner, t. rég.	6
engendrer, t. rég.	6
engerber, t. rég.	6
englober, t. rég.	6
engloutir, t. rég.	19
engluer, t. rég.	6
engober, t. rég.	6
engommer, t. rég.	6
engoncer, t.	7
engorger, t.	8
engouer, t. rég.	6
engouffrer, t. rég.	6
engouler, t. rég.	6
engourdir, t. rég.	19
engraisser, t. et i. rég.	6
engranger, t.	8
engraver, t. rég.	6

	n°
engrener, t. et i.	9
engrumeler (s'), pr.	11
★ engueuler, t. rég.	6
enguirlander, t. rég.	6
enhardir, t. rég.	19
enharnacher, t. rég.	6
enherber, t. rég.	6
enivrer, t. rég.	6
enjamber, t. rég.	6
enjaveler, t.	11
enjoindre, t.	58
enjôler, t. rég.	6
enjoliver, t. rég.	6
enjuponner, t. rég.	6
enkyster (s'), pr. rég.	6
enlacer, t.	7
enlaidir, t. ◆ rég.	19
enlever, t.	9
enliasser, t. rég.	6
enlier, t.	15
enligner, t. rég.	6
enliser, t. rég.	6
enluminer, t. rég.	6
enneiger, t.	8
ennoblir, t. rég.	19
ennuager (s'), pr.	8
ennuyer, t.	17
énoncer, t.	7
enorgueillir, t. rég.	19
énoyauter, t. rég.	6
enquérir (s'), pr.	24
enquêter, ti. rég.	6
enraciner, t. reg.	6
enrager, i.	8
enrayer, t.	16
enrégimenter, t. rég.	6
enregistrer, t. rég.	6
enrêner, t. rég.	6

	n°
enrhumer, t. rég.	6
enrichir, t. rég.	19
enrober, t. rég.	6
enrocher, t. rég.	6
enrôler, t. rég.	6
enrouer, t. rég.	6
enrouiller, t. rég.	6
enrouler, t. rég.	6
enrubanner, t. rég.	6
ensabler, t. rég.	6
ensacher, t. rég.	6
ensanglanter, t. rég.	6
enseigner, t. rég.	6
ensemencer, t.	7
enserrer, t. rég.	6
ensevelir, t. rég.	19
ensiler, t. rég.	6
ensoleiller, t. rég.	6
ensorceler, t.	11
ensoufrer, t. rég.	6
ensoutaner, t. rég.	6
ensuivre (s'), pr. **1**	75
entabler, t. rég.	6
entacher, t. rég.	6
entailler, t. rég.	6
entamer, t. rég.	6
entartrer, t. rég.	6
entasser, t. rég.	6
entendre, t.	53
enténébrer, t.	10
enter, t. rég.	6
entériner, t. rég.	6
enterrer, t. rég.	6
entêter, t. rég.	6
enthousiasmer, t. rég.	6
enticher, t. rég.	6
entoiler, t. rég.	6
★ entôler, t. rég.	6

1 Ensuivre (s') ne s'emploie qu'aux 3ᵉ personnes de chaque temps. De la construction : *Un grand bien s'est ensuivi de tant de maux* (Ac.) découle la tournure : *Un grand bien s'en est ensuivi,* simplifiée souvent en : *Un grand bien s'en est suivi.*

	n°
essuyer, t.	17
estamper, t. rég.	6
estampiller, t. rég.	6
ester, i. déf. **1**	6
estérifier, t.	15
estimer, t. rég.	6
estiver, t. et i. rég.	6
estomaquer, t. rég.	6
estomper, t. rég.	6
★ estourbir, t.	19
estrapader, t. rég.	6
estropier, t.	15
établer, t. rég.	6
établir, t. rég.	19
étager, t.	8
étalager, t.	8
étaler, t. rég.	6
étalinguer, t. rég.	6
étalonner, t. rég.	6
étamer, t. rég.	6
étamper, t. rég.	6
étancher, t. rég.	6
étançonner, t. rég.	6
étarquer, t. rég.	6
étatiser, t. rég.	6
étayer, t.	16
éteindre, t.	57
étendre, t.	53
éterniser, t. rég.	6
éternuer, i. rég.	6
étêter, t. rég.	6
éthérifier, t.	15
éthériser, t. rég.	6
étinceler, i.	11
étioler, t. rég.	6
étiqueter, t.	11
étirer, t. rég.	6
étoffer, t. rég.	6

	n°
étoiler, t. rég.	6
étonner, t. rég.	6
étouffer, t. rég.	6
étouper, t. rég.	6
étoupiller, t. rég.	6
étourdir, t. rég.	19
étrangler, t. rég.	6
étraper, t. rég.	6
être, i.	2
étrécir, t. rég.	19
étreindre, t.	57
étrenner, t. rég.	6
étrésillonner, t. rég.	6
étriller, t. rég.	6
étriper, t. rég.	6
étriquer, t. rég.	6
étronçonner, t. rég.	6
étudier, t.	15
étuver, t. rég.	6
européaniser, t. rég.	6
européiser, t. rég.	6
évacuer, t. rég.	6
évader (s'), pr. rég.	6
évaluer, t. rég.	6
évangéliser, t. rég.	6
évanouir (s'), pr. rég.	19
évaporer, t. rég.	6
évaser, t. rég.	6
éveiller, t. rég.	6
éventer, t. rég.	6
éventrer, t. rég.	6
évertuer (s'), pr. rég.	6
évider, t. rég.	6
évincer, t.	7
éviter, t. rég.	6
évoluer, i. rég.	6
évoquer, t. rég.	6
exacerber, t. rég.	6

	n°
exagérer, t.	10
exalter, t. rég.	6
examiner, t. rég.	6
exaspérer, t.	10
exaucer, t.	7
excaver, t. rég.	6
excéder, t.	10
exceller, i. rég.	6
excentrer, t. rég.	6
excepter, t. rég.	6
exciper, i. rég.	6
exciser, t. rég.	6
exciter, t. rég.	6
exclamer (s'), pr. rég.	6
exclure, t.	71
excommunier, t.	15
excorier, t.	15
excréter, t.	10
excursionner, i. rég.	6
excuser, t. rég.	6
exécrer, t.	10
exécuter, t. rég.	6
exempter, t. rég.	6
exercer, t.	7
exfolier, t.	15
exhaler, t. rég.	6
exhausser, t. rég.	6
exhéréder, t.	10
exhiber, t. rég.	6
exhorter, t. rég.	6
exhumer, t. rég.	6
exiger, t.	8
exiler, t. rég.	6
exister, i. et imp. rég.	6
exonder (s'), pr. rég.	6
exonérer, t.	10
exorciser, t. rég.	6
expatrier, t.	15

1 Ester est usité seulement à l'infinitif dans la langue de la pratique, au sens de se présenter : *ester en justice.*

n°

expectorer, t. rég. 6
expédier, t. 15
expérimenter, t. rég. ... 6
expier, t. 15
expirer, i. ◆ et t. rég. 6
expliciter, t. rég. 6
expliquer, t. rég. 6
exploiter, t. rég. 6
explorer, t. rég. 6
exploser, i. rég. 6
exporter, t. rég. 6
exposer, t. rég. 6
exprimer, t. rég. 6
exproprier, t. 15
expulser, t. rég. 6
expurger, t. 8
exsuder, i. rég. 6
extasier (s'), pr. 15
exténuer, t. rég. 6
extérioriser, t. rég. 6
exterminer, t. rég. 6
extirper, t. rég. 6
extorquer, t. rég. 6
extrader, t. rég. 6
extrapoler, t. rég. 6
extraire, t. déf. 61
extravaguer, i. rég. **1** ... 6
extravaser, t. rég. 6
exulcérer, t. 10
exulter, i. rég. 6

f

n°

fabriquer, t. rég. **2** 6
facetter, t. rég. 6
fâcher, t. rég. 6
faciliter, t. rég. 6
façonner, t. rég. 6
facturer, t. rég. 6
fagoter, t. rég. 6
faiblir, i. rég. 19
failler (se), pr. rég. 6
faillir, i. ◆ déf. 30
fainéanter, i. rég. 6
faire, t. 62
faisander, t. rég. 6
falloir, i. et imp. 46
falsifier, t. 15
faluner, t. rég. 6
familiariser, t. rég. 6
fanatiser, t. rég. 6
faner, t. rég. 6
fanfaronner, i. rég. 6
farandoler, i. rég. 6
farcir, t. rég. 19
farder, t. rég. 6
farder, i. rég. 6
farfouiller, t. rég. 6
fariner, t. rég. 6
farter, t. rég. 6
fasciner, t. rég. 6
fatiguer, t. rég. **3** 6

n°

faucarder, t. rég. 6
faucher, t. rég. 6
faufiler, t. rég. 6
fausser, t. rég. 6
★ fauter, i. rég. 6
favoriser, t. rég. 6
féconder, t. rég. 6
féculer, t. rég. 6
fédéraliser, t. rég. 6
fédérer, t. 10
feindre, t. 57
feinter, i. rég. 6
fêler, t. rég. 6
féliciter, t. rég. 6
féminiser, t. rég. 6
fendiller, t. rég. 6
fendre, t. 53
fenêtrer, t. rég. 6
férir, t. déf. **4**
ferler, t. rég. 6
fermenter, i. rég. 6
fermer, t. rég. 6
ferrailler, i. rég. 6
ferrer, t. rég. 6
fertiliser, t. rég. 6
fesser, t. rég. 6
festiner, t. et i. rég. 6
festonner, t. rég. 6
festoyer, t. et i. 17
fêter, t. rég. 6
feuiller, i. et t. rég. 6
feuilleter, t. 11
feuler, i. rég. 6

1 Extravaguer a pour participe présent *extravaguant;* l'adjectif *extravagant* ne prend pas d'**u** après le **g**.

2 Fabriquer s'écrit régulièrement *fabriquant* au participe présent. Ne pas confondre avec le substantif *fabricant* qui prend un **c** au lieu de **qu**.

3 Fatiguer s'écrit au participe présent *fatiguant*. Ne pas confondre avec l'adjectif *fatigant* qui ne prend pas d'**u** après le **g**.

4 Férir, qui a vieilli, ne s'emploie plus qu'à l'infinitif présent dans la locution : *sans coup férir;* et au participe passé *féru, ue* : *féru d'archéologie.* On trouve dans les vieux auteurs, à la 3e personne de l'indicatif présent : *il fiert,* équivalent de *il frappe.*

	n°		n°		n°
feutrer, t. rég.	6	flécher, t. rég.	6	former, t. rég.	6
fiancer, t.	7	fléchir, t. et i. rég.	19	formoler, t. rég.	6
ficeler, t.	11	flétrir, t. rég.	19	formuler, t. rég.	6
ficher, t. rég.	6	fleurdeliser, t. rég.	6	forniquer, i. rég.	6
fieffer, t. rég.	6	fleurer, i. rég.	6	fortifier, t.	15
fienter, i. rég.	6	fleurir, t. et i. rég. **1**	19	fossiliser (se), pr. rég.	6
fier, t.	15	flibuster, i. et t. rég.	6	fossoyer, t.	17
figer, t. et i.	8	flirter, i. rég.	6	fouailler, t. rég.	6
fignoler, t. rég.	6	floculer, i. rég.	6	foudroyer, t.	17
figurer, t. rég.	6	flotter, i. rég.	6	fouetter, t. rég.	6
filer, t. et i. rég.	6	★ flouer, t. rég.	6	fouger, i.	8
fileter, t.	12	★ fluer, i. rég.	6	fouiller, t. rég.	6
filigraner, t. rég.	6	flûter, i. rég.	6	★ fouiner, i. rég.	6
filmer, t. rég.	6	foirer, i. rég.	6	fouir, t. rég.	19
filocher, t. rég.	6	foisonner, i. rég.	6	fouler, t. rég.	6
filouter, t. rég.	6	folâtrer, i. rég.	6	fourbir, t. rég.	19
filtrer, t. et i. rég.	6	folichonner, i. rég.	6	fourcher, i. rég.	6
financer, t.	7	folioter, t. rég.	6	fourgonner, i. rég.	6
finasser, i. rég.	6	fomenter, t. rég.	6	fourmiller, i. rég.	6
finir, t. rég.	19	foncer, t.	7	fournir, t. rég.	19
fiscaliser, t. rég.	6	fonctionnariser, t. rég.	6	fourrager, i.	8
fissurer, t. rég.	6	fonctionner, i. rég.	6	fourrer, t. rég.	6
fixer, t. rég.	6	fonder, t. rég.	6	fourvoyer, t.	17
flageller, t. rég.	6	fondre, t. et i.	53	fracasser, t. rég.	6
flageoler, i. rég.	6	forcer, t.	7	fractionner, t. rég.	6
flagorner, t. rég.	6	forcir, i.	19	fracturer, t. rég.	6
flairer, t. rég.	6	forclore, t. déf. **2**		fragmenter, t. rég.	6
flamber, i. et t. rég.	6	forer, t. rég.	6	fraîchir, i. et imp. rég.	19
flamboyer, i.	17	forfaire, i. déf. **3**		fraiser, t. rég.	6
★ flancher, i. rég.	6	forger, t.	8	framboiser, t. rég.	6
flâner, i. rég.	6	forjeter, i.	11	franchir, t. rég.	19
flanquer, t. rég.	6	forlancer, t.	7	franciser, t. rég.	6
flaquer, t. rég.	6	forligner, i. rég.	6	franger, t.	8
flatter, t. rég.	6	formaliser (se), pr. rég.	6	frapper, t. rég.	6

1 Fleurir signifiant *être en fleur, s'épanouir comme une fleur, orner de fleurs,* a une conjugaison normale : *L'aubépine fleurissait déjà.* Dans le sens abstrait de *prospérer,* fleurir fait au participe présent *florissant,* et à l'imparfait de l'indicatif le plus souvent *florissait,* parfois *fleurissait : Les beaux-arts florissaient* ou *fleurissaient sous le règne de ce prince.* L'Académie, tout en citant ce double exemple, recommande *florissait.*

2 Forclore ne s'emploie qu'à l'infinitif et au participe passé : *forclos.*

3 Forfaire ne s'emploie plus guère qu'à l'infinitif et aux temps composés : *Il a forfait à l'honneur* (Ac.).

1 Frire n'est usité qu'au singulier du présent de l'indicatif et de l'impératif : *je fris, tu fris, il frit, fris ;* rarement au futur et au conditionnel : *je frirai... je frirais... ;* au participe passé *frit, frite,* et aux temps composés formés avec l'auxiliaire **avoir.** Aux temps et aux personnes où **frire** est défectif, on lui substitue le verbe **faire frire,** du moins quand **frire** devrait être employé au sens transitif : *ils font frire du poisson.* Le verbe **frire** peut en effet être employé au sens intransitif : *le beurre frit dans la poêle.*

	n°		n°		n°
glacer, t.	7	graduer, t. rég.	6	gripper, t. rég.	6
glairer, t. rég.	6	grailler, i. rég.	6	grisailler, t. et i. rég.	6
glaiser, t. rég.	6	graillonner, i. rég.	6	griser, t. rég.	6
glaner, t. rég.	6	graisser, t. rég.	6	grisonner, i. rég.	6
glapir, i. rég.	19	grandir, t. et i. ♦ rég.	19	griveler, t.	11
glatir, i.	19	graniter, t. rég.	6	grogner, i. rég.	6
glisser, t. et i. rég.	6	granuler, t. rég.	6	grognonner, i. rég.	6
glorifier, t.	15	grappiller, t. rég.	6	grommeler, t.	11
gloser, i. et t. rég.	6	grasseyer, t. rég. **1**	6	gronder, t. et i. rég.	6
glouglouter, i. rég.	6	graticuler, t. rég.	6	grossir, t. et i. ♦	19
glousser, i. rég.	6	gratifier, t.	15	grossoyer, t.	17
glycériner, t. rég.	6	gratiner, t. rég.	6	grouiller, i. rég.	6
gober, t. rég.	6	gratter, t. rég.	6	grouper, t. rég.	6
goberger (se), pr.	8	graver, t. rég.	6	gruger, t.	8
gobeter, t.	11	gravir, t. rég.	19	grumeler (se), pr.	11
godailler, i. rég.	6	graviter, i. rég.	6	guérir, t. rég.	19
goder, i. rég.	6	gréciser, t. rég.	6	guerroyer, i.	17
godiller, i. rég.	6	grecquer, t. rég.	6	guêtrer, t. rég.	6
godronner, t. rég.	6	gréer, t.	13	guetter, t. rég.	6
goguenarder, i. rég.	6	greffer, t. rég.	6	★ gueuler, i. et t. rég.	6
goinfrer, i. rég.	6	grêler, imp. rég.	6	★ gueuletonner, i. rég.	6
gommer, t. rég.	6	grelotter, i. rég.	6	gueuser, i. rég.	6
gonder, t. rég.	6	grenailler, t. rég.	6	guider, t. rég.	6
gondoler, i. et pr. rég.	6	greneler, t.	11	guigner, t. et i. rég.	6
gonfler, t. rég.	6	grener, t. et i.	9	guillemeter, t.	11
gorger, t.	8	grésiller, imp. rég.	6	guillocher, t. reg.	6
gouacher, t. rég.	6	grever, t.	9	guillotiner, t. rég.	6
gouailler, t. rég.	6	gribouiller, i. et t. rég.	6	guinder, t. rég.	6
goudronner, t. rég.	6	griffer, t. rég.	6	guiper, i. rég.	6
goujonner, i. rég.	6	griffonner, t. rég.	6		
goupiller, t. rég.	6	grigner, i. rég.	6		
goupillonner, t. rég.	6	grignoter, t. rég.	6		
gourmander, t. rég.	6	grillager, t.	8	**h**	
gourmer, t. rég.	6	griller, t. rég.	6		
goûter, t. et i. rég.	6	grimacer, t.	7	habiliter, t. rég.	6
goutter, i. rég.	6	grimer, t. rég.	6	habiller, t. rég.	6
gouverner, t. rég.	6	grimper, t. rég.	6	habiter, t. rég.	6
gracier, t.	15	grincer, i.	7	habituer, t. rég.	6

1 **Grasseyer** conserve obligatoirement l'y dans toute la conjugaison : il ajoute donc simplement les terminaisons du verbe **aimer** au radical *grassey*.

1 **Inclure** se conjugue sur **conclure,** mais au participe passé il fait *inclus* (avec un *s*); fém. : *incluse*.

2 **Interdire** se conjugue comme dire, sauf aux 2ᵉ personnes *vous interdisez;* impératif : *interdisez*.

	n°
invectiver, t. rég.	6
inventer, t. rég.	6
inventorier, t.	15
inverser, t. rég.	6
invertir, t. rég.	19
investir, t. rég.	19
invétérer (s'), pr.	10
inviter, t. rég.	6
invoquer, t. rég.	6
ioniser, t. rég.	6
iriser, t. rég.	6
ironiser, i. rég.	6
irradier, t.	15
irriguer, t. rég.	6
irriter, t. rég.	6
isoler, t. rég.	6
★ issir, déf. **1**	
italianiser, t. et i. rég.	6

j

	n°
★ jaboter, i. rég.	6
jacasser, i. rég.	6
jachérer, t.	10
jaillir, i. rég.	19
jalonner, t. rég.	6
jalouser, t. rég.	6
japper, i. rég.	6
jardiner, i. rég.	6
jargonner, i. rég.	6
jaser, i. rég.	6
jasper, t. rég.	6
jauger, t.	8
jaunir, t. et i. rég.	19

	n°
javeler, t.	11
javelliser, t. rég.	6
jeter, t.	11
jeûner, i. rég.	6
joindre, t.	58
jointoyer, t.	17
joncher, t. rég.	6
jongler, i. rég.	6
jouailler, i. rég.	6
jouer, i. et t. rég.	6
jouir, ti. et i. rég.	19
joûter, i. rég.	6
jouxter, t. rég.	6
jubiler, i. rég.	6
jucher, i. et ti. rég.	6
judaïser, i. rég.	6
juger, t.	8
juguler, t. rég.	6
jumeler, t.	11
jurer, t. et i. rég.	6
justifier, t.	15
juter, i. rég.	6
juxtaposer, t. rég.	6

k

	n°
kidnapper, t. rég.	6
kilométrer, t.	10
klaxonner, i. rég.	6

l

	n°
labourer, t. rég.	6
lacer, t.	7
lacérer, t.	10
lâcher, t. rég.	6
laïciser, t. rég.	6
lainer, t. rég.	6
laisser, t. rég.	6
laitonner, t. rég.	6
lambiner, i. rég.	6
lambrisser, t. rég.	6
lamenter (se), pr. rég.	6
laminer, t. rég.	6
lamper, t. rég.	6
lancer, t.	7
lanciner, i. rég.	6
langer, t.	8
langueyer, t. rég. **2**	
languir, i. rég.	19
lanterner, i. et t. rég.	6
laper, t. rég.	6
lapider, t. rég.	6
lapidifier, t.	15
lapiner, i. rég.	6
laquer, t. rég.	6
larder, t. rég.	6
lardonner, t. rég.	6
larguer, t. rég.	6
larmoyer, i.	17
lasser, t. rég.	6
latiniser, t. rég.	6
latter, t. rég.	6
laver, t. rég.	6

1 Issir. Cet ancien verbe n'est plus en usage qu'au participe passé *issu.* On se sert de ce dernier pour signifier : *venu, descendu d'une personne ou d'une race. De ce mariage sont issus tant d'enfants. Issu du sang des rois* (Ac.).

2 Langueyer conserve obligatoirement l'y dans toute sa conjugaison : il ajoute donc seulement les terminaisons du verbe **aimer** au radical *languey.*

	n°
layer, t.	16
lécher, t.	10
légaliser, t. rég.	6
légiférer, t.	10
légitimer, t. rég.	6
léguer, t.	10
lénifier, t.	15
léser, t.	10
lésiner, i. rég.	6
lessiver, t. rég.	6
lester, t. rég.	6
leurrer, t. rég.	6
lever, t.	9
léviger, t.	8
levretter, i. rég.	6
lexicaliser, t. rég.	6
lézarder, t. et i. rég.	6
liaisonner, t. rég.	6
liarder, i. rég.	6
libeller, t. rég.	6
libéraliser, t. rég.	6
libérer, t.	10
licencier, t.	15
★ licher, t. rég.	6
liciter, t. rég.	6
lier, t.	15
ligaturer, t. rég.	6
lignifier (se), pr.	15
ligoter, t. rég.	6
liguer, t. rég.	6
limer, t. rég.	6
limiter, t. rég.	6
limoger, t.	8
limousiner, t. rég.	6
liquéfier, t.	15
liquider, t. rég.	6
lire, t.	77

	n°
lisérer, t.	10
lisser, t. rég.	6
liter, t. rég.	6
lithographier, t.	15
livrer, t. rég.	6
lober, t. rég.	6
localiser, t. rég.	6
lofer, i. rég.	6
loger, t.	8
longer, t.	8
loqueter, t.	11
lorgner, t. rég.	6
lotionner, t. rég.	6
lotir, t. rég.	19
louanger, t.	8
loucher, i. rég.	6
louer, t. rég.	6
★ louper, i. rég.	6
lourer, t. rég.	6
louver, t. rég.	6
louveter, i.	11
louvoyer, i.	17
lover, t. rég.	6
lubrifier, t.	15
luger, i.	8
luire, i. **1**	82
luncher, i. rég.	6
lustrer, t. rég.	6
luter, t. rég.	6
lutiner, t. et i. rég.	6
lutter, i. rég.	6
luxer, t. rég.	6
lyncher, t. rég.	6

m

	n°
macadamiser, t. rég.	6
macérer, t.	10
mâcher, t. rég.	6
machiner, t. rég.	6
mâchonner, t. rég.	6
mâchurer, t. rég.	6
macler, t. rég.	6
maçonner, t. rég.	6
maculer, t. rég.	6
madéfier, t.	15
magnétiser, t. rég.	6
magnifier, t.	15
maigrir, i. ◆ et t. rég.	19
mailler, t. et i. rég.	6
maintenir, t.	23
maîtriser, t. rég.	6
majorer, t. rég.	6
malaxer, t. rég.	6
malfaire, i. déf. **2**	62
malmener, t.	9
malter, t. rég.	6
maltraiter, t. rég.	6
malverser, i. rég.	6
mandater, t. rég.	6
mander, t. rég.	6
manéger, t.	14
mangeotter, t. rég.	6
manger, t.	8
manier, t.	15
manifester, t. rég.	6
manigancer, t.	7
manipuler, t. rég.	6
mannequiner, t. rég.	6

1 **Luire** se conjugue sur **cuire,** mais 1° le passé simple *je luisis* est supplanté par : *je luis... ils luirent* ; 2° le participe passé est : *lui* (sans **t**).

2 **Malfaire :** *faire de mauvaises actions* ou *du mal,* n'est usité qu'à l'infinitif : *Il ne se plaît qu'à malfaire* (Ac.).

	n°		n°		n°
manœuvrer, t. rég.	6	matelasser, t. rég.	6	mentir, i.	25
manquer, t. et i. rég.	6	mater, t. rég.	6	menuiser, i. rég.	6
mansarder, t. rég.	6	mâter, t. rég.	6	méprendre (se), pr.	54
manufacturer, t. rég.	6	matérialiser, t. rég.	6	mépriser, t. rég.	6
manutentionner, t. rég.	6	mâtiner, t. rég.	6	meringuer, t. rég.	6
maquignonner, t. rég.	6	matir, t. rég.	19	mériter, t. rég.	6
maquiller, t. rég.	6	matraquer, t. rég.	6	mésallier, t.	15
marauder, i. rég.	6	matriculer, t. rég.	6	mésestimer, t. rég.	6
marbrer, t. rég.	6	matricer, t.	7	**messeoir,** i. déf.	50
marchander, t. rég.	6	maudire, t. **1**	19	mesurer, t. rég.	6
marcher, i. rég.	6	maugréer, i.	13	mésuser, ti. rég.	6
marcotter, t. rég.	6	mazouter, i. rég.	6	métalliser, t. rég.	6
marger, t.	8	mécaniser, t. rég.	6	métamorphiser, t. rég.	6
margoter ou		mécher, t.	10	métamorphoser, t. rég.	6
margotter, t. rég.	6	mécompter (se), pr. rég.	6	météoriser, t. rég.	6
marier, t.	15	méconnaître, t.	64	métisser, t. rég.	6
mariner, t. et i. rég.	6	mécontenter, t. rég.	6	métrer, t.	10
marivauder, i. rég.	6	médailler, t. rég.	6	**mettre,** t.	56
marmonner, t. rég.	6	médeciner, t. rég.	6	meubler, t. rég.	6
marmoriser, t. rég.	6	médicamenter, t. rég.	6	meugler, i. rég.	6
marmotter, t. rég.	6	médire, i. **2**	78	meurtrir, t. rég.	19
marner, t. rég.	6	méditer, t. rég.	6	mévendre, t. rég.	53
maronner, i. rég.	6	méduser, t.	6	miauler, i. rég.	6
maroquiner, t. rég.	6	méfaire, i. **3**	62	mignarder, t. rég.	6
maroufler, t. rég.	6	méfier (se), pr.	15	mignoter, t. rég.	6
marquer, t. rég.	6	mégir, t. rég.	19	mijoter, t. et i. rég.	6
marqueter, t.	11	mégisser, t. rég.	6	militariser, t. rég.	6
marronner, i. rég.	6	méjuger, t.	8	minimiser, t. rég.	6
marteler, t.	12	mélanger, t.	8	militer, i. rég.	6
martyriser, t. rég.	6	mêler, t. rég.	6	mimer, t. rég.	6
masculiniser, t. rég.	6	mémoriser, t. rég.	6	minauder, i. rég.	6
masquer, t. rég.	6	menacer, t.	7	mincer, t.	7
massacrer, t. rég.	6	ménager, t.	8	miner, t. rég.	6
masser, t. rég.	6	mendier, t. et i.	15	minéraliser, t. rég.	6
massicoter, t. rég.	6	mener, t.	9	miniaturer, t. rég.	6
mastiquer, t. rég.	6	mensurer, t. rég.	6	minuter, t. rég.	6
matcher, t. et i. rég.	6	mentionner, t. rég.	6	miniaturiser, t. rég.	6

1 **Maudire** se conjugue non sur *dire* mais sur **finir** : *vous maudissez* (sauf au participe passé *maudit, ite*).

2 **Médire** se conjugue sur **dire** sauf aux 2ᵉ personnes du pluriel : *vous médisez*; impératif : *médisez.*

3 **Méfaire** : *faire du mal, nuire*, n'est plus guère usité qu'à l'infinitif : *Il ne faut ni méfaire ni médire* (Ac.).

<table>
<tr><td>mirer, t. rég.</td><td>6</td></tr>
<tr><td>miroiter, i. rég.</td><td>6</td></tr>
<tr><td>miser, t. rég.</td><td>6</td></tr>
<tr><td>mithridatiser, t. rég.</td><td>6</td></tr>
<tr><td>mitiger, t.</td><td>8</td></tr>
<tr><td>mitonner, t. et i. rég.</td><td>6</td></tr>
<tr><td>mitrailler, t. rég.</td><td>6</td></tr>
<tr><td>mixer, t. rég.</td><td>6</td></tr>
<tr><td>mixtionner, t. rég.</td><td>6</td></tr>
<tr><td>mobiliser, t. rég.</td><td>6</td></tr>
<tr><td>**modeler,** t.</td><td>12</td></tr>
<tr><td>modérer, t.</td><td>10</td></tr>
<tr><td>moderniser, t. rég.</td><td>6</td></tr>
<tr><td>modifier, t.</td><td>15</td></tr>
<tr><td>moduler, t. rég.</td><td>6</td></tr>
<tr><td>moirer, t. rég.</td><td>6</td></tr>
<tr><td>moiser, t. rég.</td><td>6</td></tr>
<tr><td>moisir, t. et i. rég.</td><td>19</td></tr>
<tr><td>moissonner, t. rég.</td><td>6</td></tr>
<tr><td>moitir, t. rég.</td><td>19</td></tr>
<tr><td>molester, t. rég.</td><td>6</td></tr>
<tr><td>mollir, i. rég.</td><td>19</td></tr>
<tr><td>momifier, t.</td><td>15</td></tr>
<tr><td>monder, t. rég.</td><td>6</td></tr>
<tr><td>monétiser, t. rég.</td><td>6</td></tr>
<tr><td>monnayer, t.</td><td>16</td></tr>
<tr><td>monologuer, i. rég.</td><td>6</td></tr>
<tr><td>monopoliser, t. rég.</td><td>6</td></tr>
<tr><td>monter, t. rég.</td><td>6</td></tr>
<tr><td>monter, i. (aux. être).</td><td>**1** 6</td></tr>
<tr><td>montrer, t. rég.</td><td>6</td></tr>
<tr><td>moquer (se), pr. rég.</td><td>6</td></tr>
<tr><td>moraliser, t. rég.</td><td>6</td></tr>
<tr><td>morceler, t.</td><td>11</td></tr>
<tr><td>mordancer, t.</td><td>7</td></tr>
<tr><td>mordiller, t. rég.</td><td>6</td></tr>
<tr><td>mordorer, t. rég.</td><td>6</td></tr>
<tr><td>mordre, t.</td><td>53</td></tr>
<tr><td>morfondre, t.</td><td>53</td></tr>
<tr><td>morigéner, t.</td><td>10</td></tr>
<tr><td>mortaiser, t. rég.</td><td>6</td></tr>
<tr><td>mortifier, t.</td><td>15</td></tr>
<tr><td>motiver, t. rég.</td><td>6</td></tr>
<tr><td>motoriser, t. rég.</td><td>6</td></tr>
<tr><td>motter (se), pr. rég.</td><td>6</td></tr>
<tr><td>moucharder, t. et i. rég.</td><td>6</td></tr>
<tr><td>moucher, t. rég.</td><td>6</td></tr>
<tr><td>moucheter, t.</td><td>11</td></tr>
<tr><td>**moudre,** t.</td><td>74</td></tr>
<tr><td>mouiller, t. et i. rég.</td><td>6</td></tr>
<tr><td>mouler, t. rég.</td><td>6</td></tr>
<tr><td>mouliner, t. rég.</td><td>6</td></tr>
<tr><td>moulurer, t. rég.</td><td>6</td></tr>
<tr><td>**mourir,** i. (aux. être).</td><td>34</td></tr>
<tr><td>mousser, i. rég.</td><td>6</td></tr>
<tr><td>moutonner, t. et i. rég.</td><td>6</td></tr>
<tr><td>mouvementer, t. rég.</td><td>6</td></tr>
<tr><td>**mouvoir,** t.</td><td>44</td></tr>
<tr><td>muer, i. rég.</td><td>6</td></tr>
<tr><td>mugir, i. rég.</td><td>19</td></tr>
<tr><td>mugueter, t.</td><td>11</td></tr>
<tr><td>multiplier, t. rég.</td><td>15</td></tr>
<tr><td>munir, t. rég.</td><td>19</td></tr>
<tr><td>murer, t. rég.</td><td>6</td></tr>
<tr><td>mûrir, t. et i. rég.</td><td>19</td></tr>
<tr><td>murmurer, t. et i. rég.</td><td>6</td></tr>
<tr><td>musarder, i. rég.</td><td>6</td></tr>
<tr><td>muscler, t. rég.</td><td>6</td></tr>
<tr><td>museler, t.</td><td>11</td></tr>
<tr><td>muser, i. rég.</td><td>6</td></tr>
<tr><td>musiquer, t. et i. rég.</td><td>6</td></tr>
<tr><td>musquer, t. rég.</td><td>6</td></tr>
<tr><td>★ musser (se), pr. rég.</td><td>6</td></tr>
<tr><td>muter, t. rég.</td><td>6</td></tr>
<tr><td>mutiler, t. rég.</td><td>6</td></tr>
<tr><td>mutiner (se), pr. rég.</td><td>6</td></tr>
<tr><td>mystifier, t.</td><td>15</td></tr>
</table>

n

<table>
<tr><td>nacrer, t. rég.</td><td>6</td></tr>
<tr><td>nager, i.</td><td>8</td></tr>
<tr><td>**naître,** i. (aux. être)</td><td>65</td></tr>
<tr><td>nantir, t. rég.</td><td>19</td></tr>
<tr><td>napper, t. rég.</td><td>6</td></tr>
<tr><td>narguer, t. rég.</td><td>6</td></tr>
<tr><td>narrer, t. rég.</td><td>6</td></tr>
<tr><td>nasaliser, t. rég.</td><td>6</td></tr>
<tr><td>nasarder, t. rég.</td><td>6</td></tr>
<tr><td>nasiller, i. rég.</td><td>6</td></tr>
<tr><td>nationaliser, t. rég.</td><td>6</td></tr>
<tr><td>natter, t. rég.</td><td>6</td></tr>
<tr><td>naturaliser, t. rég.</td><td>6</td></tr>
<tr><td>naufrager, i.</td><td>8</td></tr>
<tr><td>naviguer, i. rég.</td><td>6</td></tr>
<tr><td>navrer, t. rég.</td><td>6</td></tr>
<tr><td>nécessiter, t. rég.</td><td>6</td></tr>
<tr><td>nécroser, t. rég.</td><td>6</td></tr>
<tr><td>négliger, t.</td><td>**2** 8</td></tr>
<tr><td>négocier, t.</td><td>15</td></tr>
<tr><td>neiger, imp.</td><td>8</td></tr>
<tr><td>nervurer, t. rég.</td><td>6</td></tr>
</table>

1 Monter, verbe intransitif, est conjugué normalement avec l'auxiliaire **être :** *Il* **est** *monté à sa chambre* (Ac.). Cependant pour insister sur l'action en train de se faire, il peut se construire avec l'auxiliaire **avoir;** particulièrement dans certaines expressions consacrées par l'usage : *Il est d'haleine pour* **avoir** *monté trop vite* (Ac.). *La Seine* **a** *monté; le thermomètre* **a** *monté; les prix* **ont** *monté.*

2 Négliger fait au participe présent *négligeant,* à distinguer de l'adjectif *négligent* (terminaison **-ent**).

1 **Nuire** se conjugue sur **cuire,** mais le participe passé est : *nui* (sans **t**).

2 **Occire** a vieilli et ne s'emploie plus guère qu'à l'infinitif présent, au participe passé : *occis, occise,* et aux temps composés.

3 **Occlure** se conjugue sur **conclure** mais fait au participe passé *occlus, occluse.*

4 **Oindre** est sorti de l'usage sauf à l'infinitif et au participe passé *oint.*

1 Paraître prend généralement l'auxiliaire **avoir** : *Un cavalier* **a** *paru au loin dans la plaine. Le film m'a paru intéressant.* Cependant, s'agissant de livres ou de publications, si, pour marquer l'action, **paraître** utilise normalement **avoir** : *la troisième édition* **a** *paru l'an dernier,* on peut très légitimement dire pour insister sur le résultat de cette action : *La troisième édition* **est** *déjà parue depuis un an ;* en ce cas le participe passé s'accorde avec le sujet.

2 Parfaire : *achever* n'est plus guère usité qu'au présent de l'indicatif, à l'infinitif et au participe passé : *l'homme perfectionne mais ne parfait jamais.*

3 Partir. a. intransitif, au sens de *s'en aller,* prend l'auxiliaire **être.** L'Académie récuse justement l'auxiliaire **avoir** qui trouvait grâce devant Littré. Mais si de nos jours *Le lièvre* **a** *parti* est jugé incorrect, certains disent encore *Le coup de fusil* **a** *parti* pour **est** *parti.*
b. transitif, **partir** signifiant *partager* n'a plus que l'infinitif et le participe passé *parti,* conservé dans certaines expressions figées : *avoir maille à partir ; des avis mi-partis.*

	n°
passer, t. rég.	6
passer, i. (aux. être) **1**	6
passionner, t. rég.	6
pasteller, t. rég.	6
pasteuriser, t. rég.	6
pasticher, t. rég.	6
★ patafioler, t. rég.	6
patauger, i.	8
pateliner, t. rég.	6
patenter, t. rég.	6
patienter, i. rég.	6
patiner, t. et i. rég.	6
pâtir, i. rég.	19
pâtisser, t. et i. rég.	6
patoiser, i. rég.	6
patronner, t. rég.	6
patrouiller, t. et i. rég.	6
pâturer, i. et t. rég.	6
★ paumer, t. rég.	6
pauser, i. rég.	6
pavaner (se), pr. rég.	6
paver, t. rég.	6
pavoiser, t. rég.	6
payer, t.	16
pêcher, t. rég.	6
pécher, i.	10
pédaler, i. rég.	6
peigner, t. rég.	6
peindre, t.	57
peiner, t. et i. rég.	6
peinturer, t. rég.	6
peinturlurer, t. rég.	6
peler, t.	12
pelleter, t.	11
peloter, t. rég.	6
pelotonner, t. rég.	6

	n°
pelucher, t. rég.	6
pénaliser, t. rég.	6
pencher, t. et i. rég.	6
pendiller, i. rég.	6
★ pendouiller, i. rég.	6
pendre, t. et i.	53
pénétrer, t.	10
penser, t. et ti. rég.	6
pensionner, t. rég.	6
pépier, i.	15
percer, t.	7
percevoir, t.	38
percher, t. et i. rég.	6
percuter, t. rég.	6
perdre, t.	53
pérégriner, i. rég.	6
perfectionner, t. rég.	6
perforer, t. rég.	6
péricliter, i. rég.	6
périmer, t. rég.	6
périphraser, i. rég.	6
périr, i. rég.	19
perler, t. et i. rég.	6
permettre, t.	56
permuter, t. rég.	6
pérorer, i. rég.	6
péroxyder, t. rég.	6
perpétrer, t.	10
perpétuer, t. rég.	6
perquisitionner, i. rég.	6
persécuter, t. rég.	6
persévérer, i.	10
persifler, t. rég.	6
persiller, t. rég.	6
persister, i. rég.	6
personnaliser, t. rég.	6

	n°
personnifier, t.	15
persuader, t. rég.	6
perturber, t. rég.	6
pervertir, t. rég.	19
peser, t. et i.	9
pester, i. rég.	6
pétarader, i. rég.	6
péter, i.	10
pétiller, i. rég.	6
pétitionner, i. rég.	6
pétrifier, t.	15
pétrir, t. rég.	19
peupler, t. rég.	6
philosopher, i. rég.	6
phosphater, t. rég.	6
photocopier, t.	15
photographier, t.	15
phraser, i. rég.	6
piaffer, i. rég.	6
piailler, i. rég.	6
pianoter, i. rég.	6
piauler, i. rég.	6
★ picoler, i. rég.	6
picorer, t. et i. rég.	6
picoter, t. rég.	6
piéger, t.	14
piéter, i.	10
piétiner, t. rég.	6
piger, t.	8
pigmenter, t. rég.	6
pignocher, t. rég.	6
piler, t. rég.	6
piller, t. rég.	6
pilonner, t. rég.	6
piloter, t. rég.	6
pimenter, t. rég.	6

1 Passer. L'usage courant est de former les temps composés avec l'auxiliaire **être** : *je suis passé*, mais certains emploient judicieusement **avoir** de préférence à **être** quand on insiste sur l'action de passer plutôt que sur son résultat : *Il* **a** *passé le long de la muraille. Il* **est** *passé de l'autre côté de l'eau* (Ac.). La nuance d'ailleurs est souvent bien ténue et l'on dit indifféremment : *L'envie lui* **a** *passé* ou *lui* **est** *passée* (Ac.).

	n°		n°		n°
★ pinailler, i. rég.	6	plastiquer, t. rég.	6	polluer, t. rég.	6
pincer, t.	7	plastronner, i. et t. rég.	6	polycopier, t.	15
pindariser, i. rég.	6	platiner, t. rég.	6	polymériser, i. rég.	6
★ pinter, i. rég.	6	plâtrer, t. rég.	6	pommader, t. rég.	6
piocher, t. rég.	6	plébisciter, t. rég.	6	pommeler (se), pr.	11
★ pioncer, i.	7	pleurer, t. et i. rég.	6	pommer, i. rég.	6
pionner, i. rég.	6	pleurnicher, i. rég.	6	pomper, t. rég.	6
piper, t. rég.	6	pleuvasser, imp. rég.	6	pomponner, t. rég.	6
pique-niquer, i. rég.	6	**pleuvoir,** i. et imp.	45	poncer, t.	7
piquer, t. rég.	6	plier, t.	15	ponctionner, t. rég.	6
piqueter, t.	11	plisser, t. rég.	6	ponctuer, t. rég.	6
pirater, i. rég.	6	plomber, t. rég.	6	pondérer, t.	10
pirouetter, i. rég.	6	plonger, t.	8	pondre, t.	53
pisser, t. rég.	6	ployer, t.	17	ponter, t. et i. rég.	6
pister, t. rég.	6	plumer, t. rég.	6	pontifier, i.	15
pistonner, t. rég.	6	★ pocharder, t. rég.	6	populariser, t. rég.	6
pivoter, i. rég.	6	pocher, t. rég.	6	poquer, i. rég.	6
placarder, t. rég.	6	poétiser, t. rég.	6	porphyriser, t. rég.	6
placer, t.	7	poignarder, t. rég.	6	porter, t. rég.	6
plafonner, t. rég.	6	poinçonner, t. rég.	6	poser, t. et i. rég.	6
plagier, t.	15	poindre, i. déf. **2**	58	posséder, t.	10
plaider, t. rég.	6	pointer, t. rég.	6	postdater, t. rég.	6
plaindre, t.	59	pointiller, t. et i.	6	postposer, t. rég.	6
plaire, ti. **1**	63	★ poireauter, i. rég.	6	poster, t. rég.	6
plaisanter, t. rég.	6	poisser, t. rég.	6	postuler, t. rég.	6
planchéier, t.	15	poivrer, t. rég.	6	★ potasser, i. rég.	6
★ plancher, i. rég.	6	polariser, t. rég.	6	★ potiner, i. rég.	6
planer, t. rég.	6	polémiquer, i. rég.	6	poudrer, t. rég.	6
planer, i. rég.	6	policer, t.	7	poudroyer, i.	17
planifier, t.	15	polir, t. rég.	19	pouffer, i. rég.	6
planter, t. rég.	6	polissonner, i. rég.	6	pouiller, t. rég.	6
plaquer, t. rég.	6	★ politiquer, i. rég.	6	pouliner, i. rég.	6
plastifier, t.	15	politiser, t. rég.	6	pouponner, i. rég.	6

1 Plaire n'ayant jamais de complément d'objet direct, le participe *plu* est invariable, même à la forme pronominale. *Ils se sont plu l'un à l'autre. Elle s'est plu à vous contredire* (Ac.).

2 Poindre se conjugue sur **joindre.** Au sens intransitif de *commencer à paraître*, il ne s'emploie qu'aux formes suivantes : *il point, il poindra, il poindrait, il a point : Quand l'aube poindra...;* on a tendance à lui substituer le verbe régulier **pointer.** Au sens transitif de *piquer : Poignez vilain, il vous oindra*, ce verbe est sorti de l'usage en cédant la place parfois à un néologisme insoutenable **poigner** fabriqué à partir de formes régulières de **poindre :** *il poignait, poignant.* Ce participe présent s'est d'ailleurs maintenu comme adjectif en se chargeant du sens *d'étreindre* (comme par une *poigne ?*).

	n°		n°		n°
pourchasser, t. rég.	6	préformer, t. rég.	6	prévenir, t.	23
pourfendre, t.	53	préjudicier, i.	15	prévoir, t. **4**	39
pourlécher, t.	10	préjuger, t.	8	prier, t.	15
pourrir, i. ◆ et t. rég.	19	prélasser (se), pr. rég.	6	primer, i. et t. rég.	6
poursuivre, t.	75	prélever, t.	9	priser, t. et i. rég.	6
pourvoir, t. **1**	40	préluder, i. rég.	6	priver, t. rég.	6
pousser, t. rég.	6	préméditer, t. rég.	6	privilégier, t.	15
pouvoir, t.	43	prémunir, t. rég.	19	procéder, i.	10
praliner, t. rég.	6	**prendre**, t.	54	proclamer, t. rég.	6
pratiquer, t. rég.	6	prénommer, t. rég.	6	procréer, t.	13
préacheter, t.	12	préoccuper, t. rég.	6	procurer, t. rég.	6
préaviser, t. rég.	6	préparer, t. rég.	6	prodiguer, t. rég.	6
précautionner, t. rég.	6	préposer, t. rég.	6	produire, t.	82
précéder, t.	10	présager, t.	8	profaner, t. rég.	6
prêcher, t. rég.	6	prescrire, t.	80	proférer, t.	10
précipiter, t. et i. rég.	6	présenter, t. rég.	6	professer, t. rég.	6
préciser, t. rég.	6	préserver, t. rég.	6	profiler, t. rég.	6
précompter, t. rég.	6	présider, t. rég.	6	profiter, ti. rég.	6
préconiser, t. rég.	6	pressentir, t.	25	programmer, t. rég.	6
prédestiner, t. rég.	6	presser, t. et i. rég.	6	progresser, i. rég.	6
prédéterminer, t. rég.	6	pressurer, t. rég.	6	prohiber, t. rég.	6
prédire, t. **2**	78	pressuriser, t. rég.	6	projeter, t.	11
prédisposer, t. rég.	6	présumer, t. rég.	6	prolétariser, t. rég.	6
prédominer, i. rég.	6	présupposer, t. rég.	6	proliférer, i.	10
préétablir, t. rég.	19	présurer, t. rég.	6	prolonger, t.	8
préexister, i. rég.	6	prétendre, t. et ti.	53	promener, t.	9
préfacer, t.	7	prêter, t. rég.	6	promettre, t.	56
préférer, t.	10	prétexter, t. rég.	6	promouvoir, t. déf. **5**	44
préfigurer, t. rég.	6	prévaloir, i. **3**	47	promulguer, t. rég.	6
préfixer, t. rég.	6	prévariquer, i. rég.	6	prôner, t. rég.	6

1 Pourvoir (tableau 40) se conjugue comme le verbe simple **voir** (tableau 39) sauf au futur et au conditionnel : *je pourvoirai, je pourvoirais;* au passé simple et au subjonctif imparfait : *je pourvus, que je pourvusse.*

2 Prédire se conjugue comme **dire,** sauf aux 2ᵉ pers. du pluriel : *vous prédisez;* impératif : *prédisez.*

3 Prévaloir se conjugue comme **valoir** excepté au subjonctif présent où il fait *que je prévale, que nous prévalions... : Il ne faut pas que la coutume prévale sur la raison* (Ac.). A la forme pronominale le participe passé s'accorde : *Elle s'est prévalue de ses droits.*

4 Prévoir se conjugue comme **voir** sauf au futur et au conditionnel où il fait : *je prévoirai..., je prévoirais...*

5 Promouvoir se conjugue comme **mouvoir,** mais son participe *promu* ne prend pas l'accent circonflexe au masculin singulier. Ce verbe ne s'emploie guère qu'à l'infinitif, au participe passé et aux temps composés. On dit cependant : *Cet évêque méritait que le pape le promût cardinal.*

1 Puer. Les formes du passé simple : *je puai...*; du subjonctif imparfait : *que je puasse...*; et des temps composés : *j'ai pué,* etc., sont peu employées.

2 Quérir, orthographié aussi **querir** (Ac.), ne s'emploie plus aujourd'hui qu'à l'infinitif; et encore est-il lui-même peu usité; on dit plutôt *chercher.*

	n°
rainer, t. rég.	6
raisonner, t. et i. rég.	6
rajeunir, t. et i. ◆ rég.	19
rajouter, t. rég.	6
rajuster, t. rég.	6
ralentir, t. rég.	19
râler, i. rég.	6
ralinguer, t. rég.	6
rallier, t.	15
rallonger, t.	8
rallumer, t. rég.	6
ramager, i. et t.	8
ramasser, t. rég.	6
ramender, t. rég.	6
ramener, t.	9
ramer, t. et i. rég.	6
rameuter, t. rég.	6
ramifier, t.	15
ramollir, t. rég.	19
ramoner, t. rég.	6
ramper, i. rég.	6
rancir, i. rég.	19
rançonner, t. rég.	6
ranger, t.	8
ranimer, t. rég.	6
rapatrier, t.	15
râper, t. rég.	6
rapetasser, t. rég.	6
rapetisser, t. rég.	6
rapiécer, t. **1**	10
rapiner, i. rég.	6
rapointir, t. rég.	19
rappareiller, t. rég.	6
rapparier, t.	15
rappeler, t.	11
★ rappliquer, t. et i. rég.	6

	n°
rapporter, t. rég.	6
rapprendre, t.	54
rapprêter, t. rég.	6
rapprocher, t. rég.	6
rapproprier, t.	15
rapprovisionner, t. rég.	6
raréfier, t.	15
raser, t. rég.	6
rassasier, t.	15
rassembler, t. rég.	6
rasseoir, t.	49
rasséréner, t.	10
rassir, i. déf. **2**	
rassortir, t. rég.	19
rassurer, t. rég.	6
ratatiner, t. rég.	6
râteler, t.	11
rater, t. et i. rég.	6
★ ratiboiser, t. rég.	6
ratifier, t.	15
ratiner, t. rég.	6
ratiociner, i. rég.	6
rationaliser, t. rég.	6
rationner, t. rég.	6
ratisser, t. rég.	6
rattacher, t. rég.	6
rattraper, t. rég.	6
raturer, t. rég.	6
ravager, t.	8
ravaler, t. rég.	6
ravauder, t. et i. rég.	6
ravigoter, t. rég.	6
ravilir, t. rég.	19
raviner, t. rég.	6
ravir, t. rég.	19
raviser (se), pr. rég.	6

	n°
ravitailler, t. rég.	6
raviver, t. rég.	6
ravoir, t. déf. **3**	
rayer, t.	16
rayonner, i. rég.	6
razzier, t.	15
réabonner, t. rég.	6
réabsorber, t. rég.	6
réaccoutumer, t. rég.	6
réadapter, t. rég.	6
réadmettre, t.	56
réaffirmer, t. rég.	6
réagir, i. rég.	19
réajuster, t. rég.	6
réaléser, t.	10
réaliser, t. rég.	6
réanimer, t. rég.	6
réapparaître, i.	64
réapposer, t. rég.	6
réapprendre, t.	54
réapprovisionner, t. rég.	6
réargenter, t. rég.	6
réarmer, t. rég.	6
réassigner, t. rég.	6
réassortir, t. rég.	19
réassurer, t. rég.	6
rebaisser, t. rég.	6
rebaptiser, t. rég.	6
rebâtir, t. rég.	19
rebattre, t.	55
rebeller (se), pr. rég.	6
rebiffer (se), pr. rég.	6
rebiquer, i. rég.	6
reblanchir, t. rég.	19
reboiser, t. rég.	6
rebondir, i. rég.	19

1 **Rapiécer.** Ne pas oublier le **ç** devant **a** et **o** (cf. **placer** tableau 7).

2 **Rassir,** qui a supplanté **rasseoir** dans cette acception, ne s'emploie qu'à l'infinitif : *laisser du pain rassir*, et au participe passé : *du pain rassis, une miche rassise.*

3 **Ravoir** n'est usité qu'au présent de l'infinitif.

	n°		n°		n°
reborder, t. rég.	6	rechuter, i. rég.	6	recouper, t. rég.	6
rebotter, t. rég.	6	récidiver, i. ◆ rég.	6	recourber, t. rég.	6
reboucher, t. rég.	6	réciter, t. rég.	6	recourir, ti. et i.	33
rebouillir, i.	31	réclamer, t. rég.	6	recouvrer, t. rég.	6
rebouter, t. rég.	6	reclasser, t. rég.	6	recouvrir, t.	27
reboutonner, t. rég.	6	reclouer, t. rég.	6	recracher, t. rég.	6
rebroder, t. rég.	6	reclure, t. déf. **1**	71	récréer, t.	13
rebrousser, t. rég.	6	recogner, t. rég.	6	recréer, t.	13
rebuter, t. rég.	6	recoiffer, t. rég.	6	recrépir, t. rég.	19
recacheter, t.	11	récoler, t. rég.	6	recreuser, t. rég.	6
récalcitrer, i. rég.	6	recoller, t. rég.	6	récrier (se), pr.	15
★ recaler, t. rég.	6	recolorer, t. rég.	6	récriminer, i. rég.	6
récapituler, t. rég.	6	récolter, t. rég.	6	récrire, t.	80
recarder, t. rég.	6	recommander, t. rég.	6	recroiser, t. rég.	6
recarreler, t.	11	recommencer, t.	7	recroître, i. ◆ **2**	67
recasser, t. rég.	6	recomparaître, i.	64	recroqueviller (se), pr. rég.	6
recauser, ti. rég.	6	récompenser, t. rég.	6	recruter, t. rég.	6
recéder, t.	10	recomposer, t. rég.	6	rectifier, t. rég.	15
receler, t.	12	recompter, t. rég.	6	recueillir, t.	28
recenser, t. rég.	6	réconcilier, t.	15	recuire, t.	82
receper, t.	9	reconduire, t.	82	reculer, t. et i. rég.	6
recéper, t.	10	recondamner, t. rég.	6	récupérer, t.	10
réceptionner, t. rég.	6	réconforter, t. rég.	6	récurer, t. rég.	6
recercler, t. rég.	6	reconnaître, t.	64	récuser, t. rég.	6
recevoir, t.	38	reconquérir, t.	24	recycler, t. rég.	6
réchampir, t. rég.	19	reconsidérer, t.	10	redéfaire, t.	62
rechanger, t.	8	reconsolider, t. rég.	6	redemander, t. rég.	6
rechanter, t. rég.	6	reconstituer, t. rég.	6	redémolir, t. rég.	19
rechaper, t. rég.	6	reconstruire, t.	82	redescendre, t. et i. **3**	53
réchapper, i. rég.	6	reconvertir, t. rég.	19	redevenir, i. (aux. être)	23
recharger, t.	8	recopier, t.	15	redevoir, t.	42
rechasser, t. rég.	6	recoquiller, t. rég.	6	rédiger, t.	8
réchauffer, t. rég.	6	recorder, t. rég.	6	rédimer, t. rég.	6
rechausser, t. rég.	6	recorriger, t.	8	redire, t.	78
rechercher, t. rég.	6	recoucher, t. rég.	6	rediscuter, t. rég.	6
rechigner, i. rég.	6	recoudre, t.	73	redistribuer, t. rég.	6

1 Reclure n'est employé qu'à l'infinitif et au participe passé : *reclus* (avec un **s**), fém. : *recluse*.

2 Recroître, à la différence de **croître**, ne prend l'accent circonflexe que sur les formes où l'i est suivi d'un t : *il recroît, je recroîtrai..., je recroîtrais...*, et en outre sur le participe passé *recrû* pour le distinguer de *recru : épuisé de fatigue*, d'un ancien verbe **recroire**.

3 Redescendre. Pour l'auxiliaire, voir **descendre**.

	n°
redonner, t. rég.	6
redorer, t. rég.	6
redormir, i.	32
redoubler, i. et t. rég.	6
redouter, t. rég.	6
redresser, t. rég.	6
réduire, t.	82
réédifier, t.	15
rééditer, t. rég.	6
rééduquer, t. rég.	6
réélire, t.	77
réemployer, t.	17
réensemencer, t.	7
réescompter, t. rég.	6
réévaluer, t. rég.	6
réexaminer, t. rég.	6
réexpédier, t.	15
réexporter, t. rég.	6
refaçonner, t. rég.	6
refaire, t.	62
refendre, t.	53
référencer, t.	7
référer, ti., i. et pr.	10
refermer, t. rég.	6
refeuilleter, t.	11
refiler, t. rég.	6
réfléchir, t. et ti. rég.	19
refléter, t.	10
refleurir, i. rég.	19
refluer, i. rég.	6
refondre, t.	53
reforger, t.	8
reformer, t. rég.	6
réformer, t. rég.	6
refouiller, t. rég.	6
refouler, t. rég.	6
réfracter, t. rég.	6
réfranger, t.	8

	n°
refrapper, t. rég.	6
refréner, t.	10
réfrigérer, t.	10
refriser, t. rég.	6
refroidir, t. rég.	19
réfugier (se), pr.	15
refuir, i.	36
refuser, t. rég.	6
réfuter, t. rég.	6
regagner, t. rég.	6
regaillardir, t. rég.	19
régaler, t. rég.	6
regarder, t. rég.	6
regarnir, t. rég.	19
regazonner, t. rég.	6
regeler, t. et i.	12
régénérer, t.	10
régenter, t. rég.	6
regimber, i. rég.	6
régionaliser, t. rég.	6
régir, t. rég.	19
réglementer, t. rég.	6
régler, t.	10
régner, i.	10
regonfler, t. rég.	6
regorger, i.	8
regoûter, t. et i. rég.	6
regratter, t. rég.	6
regréer, t.	13
regreffer, t. rég.	6
régresser, i. rég.	6
regretter, t. rég.	6
regrimper, i. et t. rég.	6
regrouper, t. rég.	6
régulariser, t. rég.	6
régurgiter, t. rég.	6
réhabiliter, t. rég.	6
réhabituer, t. rég.	6

	n°
rehausser, t. rég.	6
réimperméabiliser, t. rég.	6
réimporter, t. rég.	6
réimposer, t. rég.	6
réimprimer, t. rég.	6
réincarcérer, t.	10
réincarner, t. rég.	6
réincorporer, t. rég.	6
réinscrire, t.	80
réinstaller, t. rég.	6
réintégrer, t.	10
réinterroger, t.	8
réintroduire, t.	82
réitérer, t.	10
rejaillir, i. rég.	19
rejeter, t.	11
rejoindre, t.	58
rejointoyer, t.	17
rejouer, t. rég.	6
réjouir, t. rég.	19
relâcher, t. rég.	6
relancer, t.	7
rélargir, t. rég.	19
relater, t. rég.	6
relaver, t. rég.	6
relaxer, t. rég.	6
relayer, t.	16
reléguer, t.	10
relever, t.	9
relier, t.	15
relimer, t. rég.	6
relire, t.	77
relouer, t. rég.	6
reluire, i. **1**	82
★ reluquer, t. rég.	6
remâcher, t. rég.	6
remailler, t. rég.	6

1 Reluire se conjugue sur **cuire** mais : 1° le passé simple : *je reluisis* est supplanté par *je reluis... ils reluirent* ; 2° le participe passé est *relui* (sans **t**).

1 **Renaître** n'a pas de participe passé; il n'a donc pas de temps composés.

1 **Repartir** signifiant *répliquer, répondre vivement et sur-le-champ*, suit le modèle de **sentir**; il prend l'auxiliaire **avoir** dans ses temps composés : *Il ne lui **a** reparti que des impertinences.*

2 **Repartir** signifiant *retourner* ou *partir de nouveau*, se conjugue comme **sentir** dans ses temps simples, mais prend l'auxiliaire **être** dans ses temps composés : *Je **suis** reparti aussitôt après dîner.*

3 **Répartir** signifiant *partager, distribuer*, se conjugue comme **finir**.

4 **Résoudre**, à la différence de **absoudre**, possède un passé simple : *je résolus* et un subjonctif imparfait : *que je résolusse*. Le participe passé est *résolu* : *j'ai résolu ce problème*. Mais il existe un participe passé *résous* (fém. *résoute* très rare) qui n'est usité qu'en parlant des choses qui changent d'état : *brouillard résous en pluie*. Noter l'adjectif *résolu* signifiant *hardi*.

5 **Ressembler**. Le participe passé *ressemblé* est toujours invariable même à la forme pronominale : *Ils se sont toujours plus ou moins ressemblé.*

6 **Ressortir** signifiant *sortir de nouveau* se conjugue sur **sortir**.
Ressortir signifiant *être du ressort* ou *de la compétence d'une juridiction* se conjugue régulièrement sur **finir** : *il ressortit, il ressortissait, ressortissant : Mon affaire ressortit au juge de paix* (Ac.). Dans ce sens il se construit normalement avec la préposition **à**.

1 Rire. Le participe passé est toujours invariable même à la forme pronominale : *Elles ne se sont jamais ri de cette infirmité.*

S

1 Saillir. Verbe peu usité et seulement à la 3e personne et à l'infinitif. Au sens de *jaillir, s'accoupler à*, se conjugue sur **finir;** au sens de *être en saillie* se conjugue sur **assaillir** mais fait au futur : *il saillera, ils sailleront.* Le participe présent a donné l'adjectif *saillant.*

1 Sortir transitif, signifiant en termes de jurisprudence : *obtenir, avoir,* se conjugue comme **finir,** mais n'est d'usage qu'à la 3e personne : *il sortit, il sortissait. J'entends que cette clause sortisse son plein effet.* Il ne faut pas confondre ce verbe, du reste assez peu usité, avec **sortir** (intransitif; auxiliaire **être)** signifiant : *aller dehors, s'en aller,* et avec **sortir** (transitif; auxiliaire **avoir)** signifiant *mener dehors, tirer hors,* qui se conjuguent l'un et l'autre sur **sentir.**

2 Sourdre, signifiant proprement *sortir de terre* en parlant de l'eau, n'est usité qu'à l'infinitif et à la 3e personne de l'indicatif présent : *il sourd, ils sourdent* et encore seulement dans la langue littéraire.

3 Sourire. Le participe passé *souri* est invariable même à la forme pronominale : *Ils se sont souri d'un air entendu.*

1 Succéder. Le participe passé est invariable même à la forme pronominale : *ils se sont toujours succédé de père en fils.*
2 Suffire se conjugue sur **confire.** Remarquer toutefois que le participe passé est *suffi* (sans **t**), invariable même à la forme pronominale : *Les pauvres femmes se sont suffi avec peine jusqu'à présent.*

t

1 Taire se conjugue sur **plaire** mais ne prend pas d'accent circonflexe à la 3ᵉ personne du singulier de l'indicatif présent : *il tait*. Le participe passé *tu* est variable : *Les plaintes se sont* **tues.**

	n°
terrir, i. rég.	19
terroriser, t. rég.	6
tester, i. rég.	6
tétaniser, t. rég.	6
téter, t.	10
thésauriser, i. rég.	6
tiédir, i. et t. rég.	19
tiercer, t.	7
tigrer, t. rég.	6
timbrer, t. rég.	6
tinter, i. et t. rég.	6
tiquer, i. rég.	6
tirailler, t. rég.	6
tirer, t. rég.	6
tisonner, i. rég.	6
tisser, t. rég.	6
tistre, t. déf. **1**	
titiller, t. et i. rég.	6
titrer, t. rég.	6
tituber, i. rég.	6
titulariser, t. rég.	6
toiler, t. rég.	6
toiser, t. rég.	6
tolérer, t.	10
tomber, t. rég.	6
tomber, i. (aux. être)	6
tomer, t. rég.	6
tondre, t.	53
tonifier, t.	15
tonitruer, i. rég.	6
tonner, i. et imp. rég.	6
tonsurer, t. rég.	6
toper, i. rég.	6
toquer, t. rég.	6
torcher, t. rég.	6
torchonner, t. rég.	6
tordre, t.	53
toréer, i.	13

	n°
torpiller, t. rég.	6
torréfier, t.	15
torsader, t. rég.	6
tortiller, t. rég.	6
torturer, t. rég.	6
totaliser, t. rég.	6
toucher, t. rég.	6
touiller, t. rég.	6
toupiller, i. rég.	6
tourbillonner, i. rég.	6
tourmenter, t. rég.	6
tournailler, i. rég.	6
★ tournebouler, t. rég.	6
tourner, t. et i. rég.	6
tourniquer, i. rég.	6
tournoyer, i.	17
tousser, i. rég.	6
tracasser, t. rég.	6
tracer, t.	7
traduire, t.	82
trafiquer, i. et ti. rég.	6
trahir, t. rég.	19
traînailler, i. rég.	6
traînasser, i. rég.	6
traîner, t. et i. rég.	6
traire, t. déf.	61
traiter, t. rég.	6
tramer, t. rég.	6
tranchefiler, t. rég.	6
trancher, t. rég.	6
trancher, t. rég.	6
tranquilliser, t. rég.	6
transborder, t. rég.	6
transcender, t. rég.	6
transcrire, t.	80
transférer, t.	10
transfigurer, t. rég.	6
transfiler, t. rég.	6

	n°
transformer, t. rég.	6
transfuser, t. rég.	6
transgresser, t. rég.	6
transhumer, i. rég.	6
transiger, i.	8
transir, t. rég.	19
transiter, t. et i. rég.	6
transmettre, t.	56
transmigrer, i. rég.	6
transmuer, t. rég.	6
transmuter, t. rég.	6
transparaître, i.	64
transpercer, t.	7
transpirer, i. rég.	6
transplanter, t. rég.	6
transporter, t. rég.	6
transposer, t. rég.	6
transsuder, t. et i. rég.	6
transsubstantier, t.	15
transvaser, t. rég.	6
transverbérer, t.	10
transvider, t. rég.	6
traquer, t. rég.	6
travailler, i. et t. rég.	6
traverser, t. rég.	6
travestir, t. rég.	19
trébucher, i. rég. ◆	6
tréfiler, t. rég.	6
treillager, t.	8
treillisser, t. rég.	6
trembler, i. rég.	6
trembloter, i. rég.	6
trémousser (se), pr.	6
tremper, t. rég.	6
trépaner, t. rég.	6
trépasser, i. rég. ◆	6
trépider, i. rég.	6
trépigner, i. rég.	6

1 Tistre, synonyme de *tisser*, a complètement vieilli et ne se rencontre plus qu'au participe passé *tissu, tissue,* et à tous les temps composés. Au figuré il signifie : *conduire, mener : C'est lui qui a tissu cette intrigue.*

1 Venir et tous ses composés autres que *circonvenir, contrevenir, prévenir* et *subvenir* prennent l'auxiliaire **être** dans les temps composés (pour **convenir,** voir p. 117).

W

Z

Imp. TARDY QUERCY AUVERGNE, Bourges. - Dépôt légal : 1er trim. 1978. Édit. N° 4030 — Imp. N° 8768.
Imprimé en France